劉福春・李怡 主編

民國文學珍稀文獻集成

第四輯
新詩舊集影印叢編　第128冊

【獅吼社同人卷】

屠蘇

上海：光華書局 1926 年 8 月出版

獅吼社同人 著

花木蘭文化事業有限公司

國家圖書館出版品預行編目資料

屠蘇／獅吼社同人 著 -- 初版 -- 新北市：花木蘭文化事業有限公司，

2023〔民 112〕

204 面；19×26 公分

（民國文學珍稀文獻集成・第四輯・新詩舊集影印叢編　第 128 冊）

ISBN 978-626-344-144-6（全套：精裝）

831.8　　　　　　　　　　　　　　　　　　　　　111021633

ISBN-978-626-344-144-6

9 786263 441446

民國文學珍稀文獻集成 ・ 第四輯 ・ 新詩舊集影印叢編（121-160 冊）

第 128 冊

屠蘇

著　　者　獅吼社同人
主　　編　劉福春、李怡
企　　劃　四川大學中國詩歌研究院
　　　　　四川大學大文學學派
總 編 輯　杜潔祥
副總編輯　楊嘉樂
編輯主任　許郁翎
編　　輯　張雅淋、潘玟靜　美術編輯　陳逸婷
出　　版　花木蘭文化事業有限公司
發 行 人　高小娟
聯絡地址　235 新北市中和區中安街七二號十三樓
　　　　　電話：02-2923-1455 ／傳真：02-2923-1452
網　　址　http://www.huamulan.tw 信箱 service@huamulans.com
印　　刷　普羅文化出版廣告事業
初　　版　2023 年 3 月
定　　價　第四輯 121-160 冊（精裝）新台幣 100,000 元　　版權所有・請勿翻印

屠蘇

獅吼社同人 著

光華書局（上海）一九二六年八月出版。原書三十二開。
影印所用底本封面與版權頁缺。

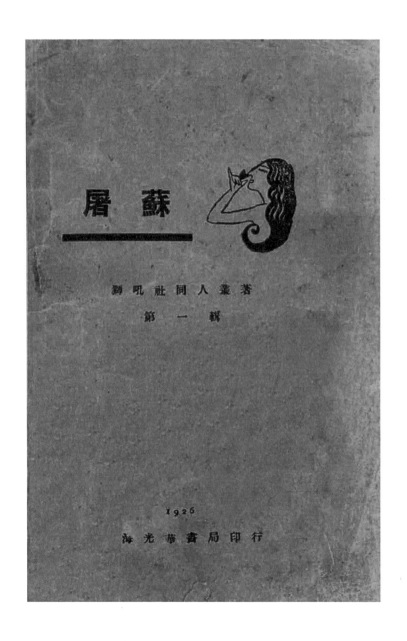

屠 蘇

獅吼社同人叢著

第 一 輯

1926

海光華書局印行

屠　蘇

弁　言

滕　固

　　我們在東京時曾經有一回小小的無形的結集，談論文藝上的事情；大家有了作品輪流傳看，互相督勵讀書；有時高興起來，計劃一種刊物。前年曙先和我回國，克標到京都去，洗桑到福岡去，我們已散了。爲要保持舊有的夢想起見，在上海出版了一種半生不熟的半月刊叫做「獅吼，」勉強支持了半年就此夭折。去年新年曙先從寧波到上海和我同住，他發起出一本特刊叫做「屠蘇」，以紀念我們在東京時幾次新年約會痛飲的舊事，克標洗桑都同意的，但沒有出世。不久克標洗桑也回國了，大家同住在上海，又計議繼續出版刊物。今年新年，出版了二期「新紀元」；我到東京去養病，同時克標洗桑也到北京去，這「新紀元」也就歸亡了。我們的失敗，一則因爲沒有財力，二則因爲我們聚散不恆不能集中精力。這些經過情形告白出來，不過給人家多添一些譏笑

昔　　　夢

我們輕視我們的資料。

我們所有的計劃，只是水而上的浮漚，我們所做的事，只是沙灘上的足跡。我們並沒有野心要佔據神聖的文藝界中之鞏固的地盤；我們的動機不過是友誼的玩耍；好比孩子們把嚴冬的積雪，大家堆成一尊「雪菩薩」，太陽偷眈眈地伸出灼熱的舌尖來把這「雪菩薩」舐得精光，孩子也無所惋戀了。所以我們的失敗，也處之泰然！不過人是感情的動物，在生的渾沌中一天一天的推移，不得不有幾種游戲的勾當，以增多懦怯的記憶。

在這我兒記起一件事了，近代英國文藝史上不是有個「先拉斐爾派」(Pre-Raphaelite Brotherhood) 嗎？這個運動的中心人物，只有五六人。當初他們有個出版刊物的計議，這是在一八九四年的秋天，他們相約到 Cleveland Street 的恩德 (Hunt) 的家裏叙會，商議刊行一種機關雜志。托馬司 (W. C. Thomas) 給牠題了一個名目叫做「萌芽」(The Germ) ，每月一期，就在這年出販 。 他們的同志各拿出插畫詩歌小說評論來發

袤。出了二期，銷路不好，書店老板屠伯（G. F. Tupper）疑還是雜志的名目太不顯豁的緣故；就請他們率性改稱「藝術與詩歌」（Art and Poetry），他們俯首承認了。內容比前更豐富，作家不以同人為限；但因財力不繼，出版到第四期便也夭殤了。近代英國文藝史上論到唯美運動。（The Aesthetic Movement），總要溯述「先拉斐爾派」；他們像野花野草像葡萄酒像紅玉綠玉般的故事，還保持在人間健忘的腦袋裏。那末我們可以明白失敗不是一件恥辱的事情了。雖然我們並不想和「先拉斐爾派」冒昧比擬，也並不想借他們的故事來自己解嘲，我們只是說：「彼何人也？予何人也……」

　　閒話說夠了，為了以前有過出版刊物的計議，有過出版刊物的事實；自從中斷了後，有許多積稿都放在我處。我經過兩三次的遷家，有的給我失掉了去，有的送還原主人了；賸下的一束，棄之可惜，存之可憎！承光華主人的好意，教我們理出來出版；我們無可無不可地交出去印行了。書名「屠蘇」，是用曙先題給沒有出世的

4　弁　言

特刊的舊名。所有文稿，沒有選擇過，把膝下的一起攙入了。這書無雜淺薄的頭銜，我們樂於承受，請大家放心。

一九二六，八，二八，謰岡。

附　告

獅吼社同人叢著，是不定期的刊物。第一輯「屠蘇」出版後，不久或有第二輯(尚未定名)出版。有機會便想陸續出下；沒有機會就到此爲止。

「屠蘇」中文稿，都是未經發表過的東西；如果以後能得陸續出版，所有稿件也以未經發表爲原則。

社外同志有大作見送，我們非常歡迎；請寄「上海轉江灣車站立達學園方曙先君收。」

獅吼社啓

屠　蘇　I

緒　言

冰　淇

中秋有屠蘇，豈不是顚倒的？是呀！是呀！現在的世界還有幾件不顚倒的？

大獅子伏不動，却有豺狼當道坐，狐狗滿屋鑽。

小妖魘佔據天空，衆仙子束手無策，醜鬼兒獻媚賣餡。

老百姓國之主人翁，哀！哀！哀！居十萬八千層地獄下的可憐蟲。

可憐蟲給了妖魘做醬瞰，還不想囘轉頭來咬一口。

青青的山澄澄的河，何不是可憐蟲大獅子的天地？大獅子呀！你若不磨牙崐崙，擦爪豪山，聚全身氣力，殺盡那一切豺狼狐狗，你只有入泥犁地獄，聽羣兒惡獸咬骨食肉。

我望大獅子奮起的一日，而我們可於正月裏痛酌屠蘇。

　　　　　　　　　　　　十五年九月二日

目　　錄

白　水：女人　　　　　　　　　1

章克標：美人　　　　　　　　　10

章克標：戀愛　　　　　　　　　19

章克標：Denishawn Dancers　　32

章克標：給A 的信　　　　　　　39

張水淇：懸崖勒馬　　　　　　　49

沈宰白：聖誕之夜　　　　　　　58

滕　固：我記起你的一雙眼　　　67

滕　固：The Lonely Road　　　69

李金髮：晚間之事實　　　　　　71

李金髮：在天的星兒全熄了　　　73

李金髮：你少婦　　　　　　　　79

李金髮：偶然的 Home-sick 81

章克標：星二顆 85

譚震明：譯詩五首 92

方光燾：漫話 99

張水淇：吹灰錄 104

先　樂：碎金錄 118

章克標：文明結合的犧牲者 121

孟　超：芭蕉葉 137

邵洵美：To Swinburne 176

邵洵美：恐怖 177

邵洵美：莎茀 178

邵洵美：匹偶 179

徐聲越：法郎士的「龐乃德之死罪」 183

女　人

白　水

　　老實說，我是個歡喜女人的人；從國民學校時代直到現在，我總一貫的歡喜着女人。雖然不曾受着什麼「女難」，而女人的力量，我確是常常領略到的！女人就是磁石，我就是一塊軟鉄；爲了一個虛構的或實際的女人，默默的想了一兩點鐘，乃至想了一兩個星期，眞有不知肉味光景——這種事是屢屢有的。在路上走，遠遠的有女人來了，我的眼睛便像蜜蜂們嗅着花香一般，直撲過去。但是我很知足，普通的女人，大概看一兩眼也就夠了；至多再掉一回頭，像我的一位同學那樣，遇見了異性，就立正——向左或向右轉，仔細用他那兩隻近視眼，從眼鏡下面緊緊追出去，半日半日，然後看不見，然後開步走——我是用不着的。我們地方有句土話說：「乖子望一眼，獃子望到晚；」我大約總在「乖子」一邊了。我到無論什麼地方，第一總是用我的蜜蜂們尋找女人。在火車裏，我必走遍幾輛車去發

2 女 人

見女人；在輪船裏，我必走遍全船去發見女人。我覺得凡有女人，總應該被我找到的！若找不到時，我便逛游戲場去，趕廟會去，——我大胆的加一句——參觀女學校去；這些是女人多的地方，我總可以找到我所要找到的了。於是我的蜜蜂們更忙了！我拖着兩隻脚跟着牠們走，往往直到疲倦爲止。我眞是「女人迷」呢！

我所追尋的女人是什麼呢？我所發見的女人是什麼呢？這是藝術的女人！從前人將女人比做花，比做鳥，比做羔羊；他們只是說，女人是自然手裏創造出來的藝術，使人們歡喜讚嘆——正如藝術的兒童是自然的創作，使人們歡喜讚嘆一樣。不獨男人歡喜讚嘆，女人也歡喜讚嘆；而「妒」便是歡喜讚嘆的另一面，正如「愛」是歡喜讚嘆的另一面一樣。受歡喜讚嘆的又不獨是女人，男人也有；「此柳風流可愛，似張緒當年」，便是好例。而「美丰儀」一語，尤爲「史不絕書」。但男人的藝術氣分似乎總要少些；賈寶玉說得好，男人的骨頭是泥做的，女人的骨頭是水做的。這是天命呢，還是人事呢，現在的我還不得而知；只覺得

事實是如此罷了。——您看，目下學繪畫的，「人體習作」
的時候，誰不用了女人做他的 Model 呢？這不是因爲女人
的曲綫更爲可愛麼？我們說，自有歷史以來，女人是比男
人更其藝術的；這句話總該不會錯的！所以我說，藝術的
女人！所謂藝術的女人，有三種意思：是女人中最爲藝術
的，是女人的藝術的一面，是我們以藝術的眼去看女人。
我說女人比男人更其藝術的，是一般的說法；說女人中最
爲藝術的，是個別的說法。——而「藝術」一詞，我用牠的
狹義，專指眼睛的藝術而言，與繪畫，雕刻，跳舞，同其範
類。藝術的女人便是有着美好的顏色和輪廓和動作的女
人，便是她的容貌，身材，姿態，使我們看了感到「自己圓
滿」的女人。這裏有一塊天然的界碑，我所說的只是處女，
少婦，中年婦人；那些老太太們，爲她們的年歲所侵蝕，已
上了凋零與枯萎的路途，在這一件上，已是落伍者了。女
人的圓滿相只是她的「人的諸相」之一；她可以有大才能，
大智慧，大仁慈，大勇毅，大貞潔等等，但都無礙於這一
相。諸相可以幫助這一相，使其更臻於充實；這一相也可

4 　　　女　　　人

葯助諸相，分其圓滿於牠們，有時更能遮盖牠們的鋏處。我們之看女人，若被她的圓滿相所吸引，便會不顧自己，不顧她的一切，而祇陶醉於其中；這個陶醉是刹那的，無關心的，而且是在沈默之中的。

　　我們之看女人，是歡喜而決不是戀愛。戀愛是全般的，歡喜是部分的。戀愛是整個「自我」與整個「自我」的融合，故堅深而久長；歡喜是「自我」間斷片的融合，故輕淺而飃忽。這兩者都是生命的趣味，生命的恣態。但戀愛是對人的，歡喜却兼人與物而言。——此外本還有「仁愛」，便是「民胞物與」之懷；再進一步，「天地與我並生，萬物與我爲一」，便是「神愛」，「大愛」了。這種無分物我的愛，非我所要論；但在此又須立一界碑，凡偉大莊嚴之象，無論屬人屬物，足以吸引人心者，必爲這種愛；而優美豔麗的光景則始在「歡喜」的闒中。至於戀愛，以人格的吸引爲骨子，有極强的佔有性，又與二者不同。朋友Ｙ君以人與物不分戀愛與歡喜，以爲「喜」僅屬物，「愛」乃屬人的；若對人言「喜」，便是蔑視他的人格了！現在有許多人也以爲將

女人比花，比鳥，比羔羊，便是侮辱女人；讚頌女人的體態，也是侮辱女人。所以者何？便是蔑視她們的人格了！但我覺我們若不能將「體態的美」排斥於人格之外，我們便要慢慢的說這句話！而美若是一種價值，人格若是建築於價值的基石上，我們又何能排斥那「體態的美」呢？所以我以為只須將女人的藝術的一面作為藝術而鑑賞牠，與鑑賞其他優美的藝術品一樣，與鑑賞優美的自然一樣；藝術與自然是「非人格」的，當然便說不上「蔑視」與否。在這樣的立場上，將人比物，歡喜讚嘆，自與因襲的玩弄的態度相差十萬八千里，當可告無罪於天下。——祇有將女人看作「玩物」，才真是蔑視呢；那怕是在所謂的戀愛之中。藝術的女人，是的，藝術的女人！我們要用驚異的眼去看她，那是一種奇跡！

　　我之看女人，十六年於茲了，我發見了一件事，就是將女人作為藝術而鑑賞時，切不可使她知道，無論是生疏的，是較熟悉的。因為這要引起她性的自衛的羞恥心或他種嫌惡心，她的藝術昧便要變稀薄了；而我們因她的羞恥

6　　女　　　人

或嫌惡而關心，也就不能靜觀自得了。所以我們只好祕密的鑑賞，藝術原來是祕密的呀，自然的創作原來是祕密的呀。但是我所歡喜的藝術的女人究竟是怎樣的呢？您得問了。讓我告訴您：我見過西洋女人，日本女人，江南江北兩個女人城的女人，名聞浙東西的女人；但我的眼光究竟太狹了，我只見過不到半打的藝術的女人！而且其中只有一個西洋人，沒有一個日本人！那西洋的處女是在Y城裏一條僻巷的拐角上遇着的，驚鴻一瞥似的便過去了；其餘有兩個是在兩次火車裏遇着的，一個看了半天，一個看了兩天；還有一個是在鄉村裏遇着的，足足看了三個月。——我以爲藝術的女人第一是有她的溫柔的空氣；使人如聽着簫管的悠揚，如嗅着玫瑰花的芬芳，如躺着在天鵝絨的厚毯上。她是如水的密，如烟的輕，籠罩着我們；我們怎能不歡喜讚嘆呢？這是由她的動作而來的；她的一舉步，一伸腰，一掠鬢，一轉眼，一低頭，乃至衣袂的微颺，裙幅的輕舞，都如蜜的流，風的微漾；我們怎能不歡喜讚嘆呢？最可愛的是那軟軟的腰兒；從前人說臨風的垂柳，紅樓夢裏

說睛雯的「水蛇腰兒」，都是說腰肢的細軟的；但我所歡喜的腰呀，簡直和蘇州的牛皮糖一樣，使我滿舌頭的甜，滿牙齒的軟呀。腰是這般軟了，手足自也有飄逸不凡之概。您瞧，她的足脛多麼丰滿呢，從膝關節以下，曲線漸漸的隆起，像新蒸的麵包一樣；後來又漸漸漸漸的緩下去了。這足脛上正窒着絲襪，淡青的？或者白的？拉得緊緊的，一些兒縐紋沒有；更將那丰滿的曲線顯得丰滿了，而那閃閃的鮮嫩的光，簡直可以照出人的影子。您再往上瞧，她的兩肩又多麼亭匀呢！像雙生的小羊似的，又像兩座玉峯似的；正是秋山那般痩，秋水那般平呀。肩以上，便到了一般人謳歌頌讚所集的「面目」了。我最不能忘記的，是她那雙鴿子般的眼睛，伶俐到像要立刻和人說話。在惺忪微倦的時候，尤其可喜，因爲正像一對睡了的褐色小鴿子。和那潤澤而微紅的雙頰，蘋菓般照耀着的，恰如曙色之與夕陽，巧妙的相映襯着。再加上那覆額的，稠密而蓬鬆的髮，像天空的亂雲一般，點綴得更有情趣了。而她那甜蜜的微笑，也是可愛的東西；微笑是半開的花朵　裏面流溢着詩

8　　　女　　人

————————————————————

與蕭與無聲的音樂。是的，我說的已多了；我不必將我所見的，一個人一個人分別說給您，我只將她們融合成一個 Sketch 給您看——這就是我的驚異的型，就是我所謂藝術的女人的型了。但我的眼光究竟太狹了！我的眼光究竟太狹了！

在女人的聚會裏，有時也有一種溫柔的空氣；但祇是籠統的空氣，沒有詳細的節目。所以這是要由遠觀而鑑賞的，與個別的看法不同；若近觀時，那籠統的空氣也許會消失了的！說起這藝術的「女人的聚會」，我却想着數年前的事了，雲烟一般，好惹人悵惘的！在P城一個禮拜日的早晨，我到一所宏大的教堂裏去做禮拜；聽說那邊女人多，我是禮拜女人去的。那教堂是男女分坐的。我去的時候，女坐還空着，似乎顒遙遙的；我的遐想便去充滿了每個空坐裏。忽然眼睛有些花了！在薄薄的香澤當中，一羣白上衣，黑背心，黑裙子的女人，默默的，遠遠的走進來了。我現在不曾看見上帝，却看見了帶着翼子的這些安琪兒了！另一回在傍晚的湖上，暮靄四合的時候，一雙插着小紅花

屠　蘇　　9

的遊艇裏，坐着八九個雪白雪白的白衣的姑娘；湖風舞弄
着她們的衣裳，便成一片渾然的白。我想她們是湖之女
神，以遊戲三昧，暫現色相於人間的呢！第三回在湖中的
一座橋上，淡月微雲之下，倚着十來個也是姑娘，矇矓矓
朧的與月一齊白着。在抖蕩的歌喉裏，我又遇着月姊兒的
化身了！——這些是我所發見的又一型了。

是的，藝術的女人，那是一種奇跡！

二月十五日上午二時

10　　　美　　　人

美　人

章　克　標

　　我被由玻璃窗中射進來的月光，壓迫得坐立不安，只好起身到後院去走走，想免去這如影隨形的煩燥。忽然樹蔭底下發見了一段黑影。走過去，見是雙手掩面的一個人。分明是一個女子。長長的黑髮，掩了兩耳，披到肩上。她那苗條的身段，很使人容易斷定她是一個絕麗的美人，雖則不見她的容貌。大約是我的脚步聲驚動了她罷，她從兩手中擡起頭來。美人！假定世界上果然有所謂美人，必然是這個樣子的！我驚得呆了。我早已相信世界上是沒有美人的。人的面貌大家是差不多的。西施和無鹽，大概也相去不遠，孟光和王嬙，總不過是相像的輪廓。所謂美人，純粹是詩人文人腦中的一種想像。當我在情熱的青少年時代，也曾這樣想過。但是在世上漂來蕩去幾多年之間，却從不曾看到一個能够叫做美人的人，不論在男子或者女子中間。所以我大胆的決定美人不是人世間的存在。如

有之，必然在天上。地球上已經充滿了齷齪的一切，那能再有餘地容納美人呢！但是美人竟然在我面前出現了，我是絕不遲疑承認在我面前在月光底下顯現的是美人。啊，眞是可驚奇的事情！但是她流着淚呢！

「你怎的哭？」

「　我也不知道怎的要哭。每每是這樣的，月光淸皎的時候，我不知不覺會哭。大槪我有一個妹妹在月亮的水晶宮裏，我們不得會面，所以我要哭。不過有沒有這個妹妹，我是不知道的，我是不能確定的。」

「　那好，我們何不走到水邊去望望看，到底月亮的水晶宮裏，有沒有你的妹妹。再順路走到花園中去，在黃菊白菊之間，任性大哭一場，或深深悲哭一囘，我在傍邊也可以陪着流一二升眼淚。去，到花園裏去罷！」

出了後院的門，就是花園。我們緩緩走到池邊，靜止的水面，平過於鏡。水中的月兒，正像一面圓鏡子，又記起了三四年前做的一首小詩了。

水中的鏡子呀！

12　　美　人

撈起來送給她罷

一陣風來

鏡子粉粉碎了

幻滅的悲哀呀！

　　這全是寫幻滅兩字，借了非實在的水中月，暗示她的
非是實在。沈醉在非實在的夢想的幻覺中，忽然張開眼，
看見了實世間的事情，會感着無限的悲哀。這幻滅的悲
哀！沒有情人，沒有什麼可憐。自覺到沒有情人的可憐，乃
是可憐。覺到沒有情人的可憐，而設想一個在天上的情
人，天上的美人做情人。悟到了這美人是在天上，而自己
是在地上，永遠相思而永遠不相會的，一種神祕的愛空虛
的愛。并且有時這一种空虛的愛，也不容許你任意設想。
那時，幻滅的無上的悲哀，體驗到了。現在，風也不來鏡也
不碎，美人在旁邊，幻滅的悲哀無從發生了。只有安心和
滿足。我們看水中的月亮，仔細看，看了又看。

　　「看不出什麼？」

　　「我看不出什麼。」

「不知道我真有沒有妹妹的?」

離開池邊,我們走入菊花叢中了。我們立在菊花的中間。月下的菊花,恐怕誰也不曾賞玩過。也許像上海這種大都會,有在電燈光底下賞菊的,但是比電燈光溫柔和順皎麗到千千萬萬倍的月光底下,都市中人是不會經驗到的。我真高興極了。看看她也呆呆的站着。

「 你這囘可以任性哭了!月光多好!輕軟的溫靜的柔順的安樂的爽快的平和的一切,都被那月兒的無形之手占盡了。你可以放懷哭了!四圍的菊花也要伴着你滴淚,便是我也還有許多眼淚蓄積着,許多沒有地方可以流的眼淚蓄積着。」

「 我現在不哭。不知怎的哭不出了。大概我有一個哥哥在我傍邊,所以我是可以不哭的了。不過我有沒有哥哥,我是不知道的,我是不能確定的。」

「 那麼問問你月亮裏的妹妹看,你有沒有哥哥的。你仰起頭來,問問你月亮裏的妹妹看。」

她果然仰頭了。啊!神祕的美!月光散在她的顏面上,

14 美 人

她的眼睛正是天上的明星，就是月光底下也是爍爍的。她的全頭部的建築美，到底不是我所能夠描寫出來的。我只覺得美！只覺得有入神的美。一定，藝術家的全靈魂全心力的想像所創造，還沒有這樣完全的美。她的窈窕的全身，有的，只是一個美字。最簡單的就是最複雜的。一個美字的她全身，我無論如何努力都不成功描出的。即使單說她的手什麼樣，要寫起來，也不是一二頁紙面所能記述得完的。用盡全人類語彙中所有的一切美麗的形容詞，仍還不能說明她的美的千萬分之一。所有的話都是徒然的。我們所想像的天上的美人，正是和她一樣，只能由無限的想像去彷彿，決不是能在紙上用筆描述出來的。

美人！美人是實在有的，而且在我身傍。這是多麼可驚怪的事情！我覺得她周身有無限的光耀，一點點在月光底下增加了。她真和神佛一樣。我一步步退開，不敢迫近她，她却招我過去，說道：

「你說有許多積舊着沒有地方流的眼淚？那麼，你用來灌這些菊花罷。」

但是，我張了眼睛望着她呆看，淚竟流不出來。

「你是爲了我的緣故流淚，這樣你可以安心流淚了！澆菊花！你的眼淚所灌的菊花，一定有異樣的光彩。」

眼淚也不知爲什麼忽然像泉水一般來了。我只覺眼中溫熱，又有一種微妙的快感，但是望出來看不見事物，只是白茫茫。一囘子，足有半旬鐘之久，忽然感得頭腦清爽了，我從來所不曾感到過的。自從六七年以來，患了神經衰弱，頭腦中常覺脹痛昏眩疲乏隔膜，大概是積蓄了無可流的淚水太多了的緣故罷，這囘是爽快了。眼睛也清明了，我從來所沒有的混晰。六七年以來，成了近視眼，帶了眼鏡看去還不十分清楚，這囘是好了。大概蓄積着的無處可流的淚水發洩完了的緣故。這樣，我是變成了健全的人了，沒有神經衰弱，也不是近視眼。但是奇怪呀！她却哭着流着眼淚。

「你怎的又哭了？你說過哭不出了，怎的又流眼淚？」

「都是你！都是你的眼淚引出來的。我看你的眼淚這樣純潔，而積蓄到這樣多量。我又那能自己制止自己的眼

淚不流呢？我的淚是爲了你的淚流的，是爲了你流的，正同你爲了我流的淚一樣。但是看呀！我們所流眼淚的結果是來了。」

我見周圍的菊花都變動了。增加了無限的光彩。這已經不像是菊花了，是開在極樂國土的種種沒有名式的蕾花。我正要問她這是什麼緣故，她又說了。

「看！月宮的門開了！」

我果然看見月亮中現出一所壯麗的建築，比巴黎的 Notre Dame 寺院還壯嚴，比世界上一切的皇宮還富麗，真是人世間所不能存在的建築。

「是招我們去呢！那種樂歌的奏吹。」

果然空中有悠揚的樂聲。又是只應天上有的歌曲，卽是 Beethoven 的第九 Symphony，也趕不上他的萬分之一的美妙。任聽這樂聲中間，覺得腳底下輕軟起來了，覺得有一點異樣。已經看出我們周圍的菊花，有樹梢那麼高，在空中了，上昇了，周圍的菊花，和我們一齊上昇了。

「這是什麼一回事？」

「我也不知道，我不知道我有沒有哥哥的。」

「這是什麼意思呢？我的神！」

「我不是神。我什麼都不曉得。我只是和你一樣，是被神簸弄的啊！請你不要離開我，不要使我再對着妹妹哭了。我的眼睛已經為了你流盡了。」

「但是我不懂！」

「我又何嘗懂呢！都是神的簸弄啊！看！不好了！風來了！」

我看見空中一口大黑布袋，正在開開口來。頓時有非常的大風，我們的花束倒西歪折整斷枝了。我連忙拉住她，抱住她，她也靠近我，擁護我，守了不相離開的誓約。但是好厲害的風呀！把全個美麗的天空吹得烏黑了。一陣極猛烈的冷風，把我們吹倒了，我們相互抱着，跌下去，如同從雪山頂上的削壁上落下一樣。

——醒了。啊！原來是一個夢！身上還覺得被風吹得很冷。窗外仍舊有皎潔的月光。方纔記得在月光底下寫寫文章，感着萬分煩惱而就寢的事。

18　　美　人

啊！萬分的煩惱呀！

天上的美人呀！

究竟美人還是在天上的！

十四年十一月二十八日夜在江灣

戀　愛

章　克　標

　　我在思索裏追究戀愛的根源，不覺達到了戀愛原是空虛無物的一種結論。在實際的世上，是沒有叫做戀愛這樣東西存在的；所有的，只是性慾，金錢，名譽，虛榮，好色，發狂，神經病，…等等。揭開假面具，拆穿西洋鏡；啊！戀愛這東西！悟到了這一層，不覺又悲哀又痛快。

　　不要以爲我是尋不着，碰不到戀愛而發牢騷！我不諱言曾經因爲這事件而煩惱過，是深深的煩悶；看了下面抄的小詩，便可知道我煩惱的深切了。

　　　再不要在艙面一閃一閃的發光了，

　　　希望呀，讓我休憩一回罷。

　　　須知是疲倦了的我呀！

　　總有一天會碰到的，總有一天會尋到的，年輕的人都有這一種念頭。心裏抱着純潔的意念，高超的思想的青年，總以爲戀愛是一件佳美的事情，神聖的行爲，而只是

20　　　戀　　愛

人生所不可少的妙劑。相信該有，相信會有，天天盼着她的來到。但是今天也不來，明天也不來，啊！有些煩惱了！坐在家中，戀愛總不至於會從天花板上落到頭頂來罷。要有機會呀！要找機會呀！但是什麼是機會？下流的事情是不幹的！沒有，沒有。戀愛是用什麼方法去求得的？沒有，沒有。啊！煩惱！我們所說的戀愛，不是握握手，親親口，背誦一些小說上寫着的情話，寫幾封從戀愛尺牘上抄下來的情書，叫幾聲哥哥妹妹姊姊弟弟，喊幾聲戀人呀！愛人呀！甚至於到什麼地方去亂七八糟一回；不負責任的相識了，不負責任的離別了。戀愛是兩個心的合一，是自然而然的永久結合，是使男女二人變成像紙的不可分離的正反兩面的一種作用。不強制而存強制的形式，像拘繫而有歡樂的自由。戀愛是男女兩性心靈上的完成。這樣美好的夢想，自然只存在於純潔的青年的腦中的。但是要這等夢境的出現，如何是可能？啊！煩惱！他總以為是機會不好之故，他總以為是只因沒有碰到之故，他是確信這戀愛是存在的。天天的無聊的妄想，焦灼的等候，不久很容易使他

患了神經衰弱。但是夢總沒有出現於實世間的一天，他的煩惱一點點擴大了深刻了，於是發出了絕望之呼聲。

——去罷！一切的希望，我要一剎靜靜的休憩啊！

但是他還不相信戀愛的不存在，他並不敢正面去否定戀愛。因爲他看見許多小詩人在花呀月呀愛人呀的亂叫，總以爲世界上是有這一種得着天福的人；他雖則悲嘆自己的否運，却深深爲這世間祝福；因爲相信有這些可以羨慕的關係存在。但是不久，他從這些小詩人口中，聽到了悲慘呀，騙人呀，失戀的苦味呀，那種喊聲，開始生起一點疑問了。他相信可以失戀的，不是戀愛，不是他所承認的戀愛。他的戀愛，是永久無缺的戀愛，不能得也不能失的；不知其所以然而相愛，相合，不再能離的，一種關係。他疑心他們所經驗的不是戀愛，但是他還不相信戀愛的不存在；因爲同時他又聽得別的一羣小詩人雪呀，星呀，戀人呀的亂喊了。他以爲在這些人中間，或者也許會有經驗到眞的戀愛的，他仍還相信戀愛是存在於實世間的。但是戀愛終不臨降到他的身上來，也不降臨到他所知道所

22　　戀　　愛

認識的人身上。真奇怪！

究竟什麼是戀愛？是一個男子和女子的相好，相好也有幾等幾樣，有妓女和嫖客的相好，有汽車夫和姨太太大小姐的相好，有流氓和野雞的相好，有拆白和蕩婦的相好，這種種難道都能算是戀愛麼？還有一種時髦的自居名人，提倡什麼自由戀愛，昨天愛甲，今天愛乙，明天愛丙，都不成問題，只要是真實的戀愛。試問他什麼叫做真實的戀愛？他却瞠目結舌，而不知所以對，或者黑七紅八，啦的呢嗎一囘子，他自身也莫名其妙的亂話一陣。這項主張，姑且批了不懂二字，擱在一邊；暫且獨斷的承認他是不合理。還有說戀愛是由性慾分化昇華而成的，但是性慾何以能昇華分化，其經歷的過程如何，論者都不曾有明確的說述，也不見得是可靠的主張。別的種種關於戀愛的說案，我也不必一一羅舉，加以批難；總之，我所看到過的，沒有一種能夠和我的感情吻合。要從別人的啓發去解決這個問題，是不成了，沒有希望了。不得不自己破費一番工夫去思索，假定了種種假設之後，致查各個論據，但是我不

能得到一個明確的界說。單單說男女的相好，當然不能滿足的，但是一步也不能再進行了。戀愛是什麼？想不到是這樣難的問題！凡有世間的存在，都可以用一種說話去求出來的；我還相信戀愛是屬世間的存在，想得一個正確的解決，努力思索呀，再進一步去想！

但是，忽然，戀愛是一種詩人的夢境，這一個見解，觸到我心上的時候，使得我不覺一驚，又不能不認為是有多少理由的。從來對於戀愛的讚美，最多在詩句中發見 Browning 說：

Love is the Best.

Shelley 說：

　　All love sweet

　　Given or returned

　　Common as light is love

　　And its familiar voice wearied not ever.

隨再看莎士比亞的一首十四行詩更加可以明白了。

Let me not to the marriage of true minds

24　　戀　　愛

Admit impediments.　Love is not love

Which alters when it alteration finds,

Or bends with the remove to remove:

O　no; it is an ever-fixed mark,

That looks on tempests, and is never shaken;

It is the star to every wandering bark,

Whose worth's unknown, although his height

be taken,

Love's not Time's fool. though rosy lips and cheeks

Within his bending sickle's compass come,

Love alters not with his brief hours and weeks,

But bears it out even to the edge of doom.

　　If this be error, and me prov'd

　　I never writ, nor no man ever lov'd.

　假使你再能把戀愛的熱烈讚美者 Heine 的詩一讀，你更可以知悉，這些詩人的做夢工夫，萬萬不是平常人所能想到的。實在詩人是最會做夢的人，他的一生，差不多

可以說是夢境的連續；一切實世間生活的不滿，他都能用夢境去補足去加充，使一切都變得光明燦爛有趣美妙。所以詩人的話，是最靠不住的；誰要相信了詩人的話，便有一生吃不盡的苦楚，消不完的煩惱。戀愛是詩人的想像所描出的一種情景，所以在戀愛自身是混一的全元，完全無缺；但是决不是存在於實世間的。青年時代，也是專會做夢的時候；青年差不多就是詩人。所以青年對於戀愛的見解，也是設定為完全無缺，和詩人一樣的。去等待這一種夢境降臨的青年，在他實在是最自然的趨勢；這樣，他决不會墮落，他只能向上到失望的自殺為止。那時他的世界是完成了，一點沒有別的危險的。他們對於戀愛的見解，是十分純正，十分高潔，但是他們沒有知道這些不過是不能存在的設想。

　　時間的推移，使青年接受着社會上的惡影響，又有對於這永不出現的戀愛的煩惱，以致使他們走入邪道的，實在很多，對於這一點是很可憫惜的。但是明白事理的青年，喜歡窮究事物的原理的青年，便不會走入迷途。他們

26　　戀　　愛

對於事件進展的根元的問題，有更多的興趣；不想耽溺在表面的陶醉，而去開啓未知的境域。他們擺脫了詩人的美衣，而穿了科學家的工作服，戴了哲學者的黑帽子，於是逞煞風景的事件發生了。什麼美滿的夢，如同朝霧的逢了太陽，頓時消散。他們推索人生的根元，考查社會的實況，用確信的口調·說明人世間的一切關係，這是一項可尊敬的工作。但是我所能夠做得到的，我所曉得的，不過是偶然的一刹那間的感融，覺得戀愛是詩人所造的一種夢境；並沒有充分的理由，不過覺得這是不錯的主張，可靠的見解就是了。我現在還會做夢，還會做孩子的很美麗的夢。不過有時在夢中也覺得是在做夢，還有亂夢中間，也有覺醒的一瞬間，過時之後又浸入夢境的事件；這一點感覺，正和夢中間的一刹那覺醒相似的。

　　戀愛是男女兩性中間的一種關係。這一種關係，會搆成一個牢不可破的團結，有捨去一切而完成這一種關係的特性；當達到最純的境地，便是把這實世間生活破棄，而建設一個新世界；這一種舉動 稱爲情死。姑且這樣記

屠　蘇

述戀愛能。那麼，他們所建設的新世界，是和這地上的實
社會是絕無關係的。這一個世界是否實在，我們地上的
人，是無從考知的，只能說他和夢境一樣。而且這一個夢
境，是那一對相愛的人自己創造的，自己完成的，一點也
不要求以外什麼東西的幫助，是自己混一的世界。這就是
戀愛的世界。要是不能達到這一點，不能說是成功的戀
愛，不能是戀愛。這是假定了有這一個世界，而說明他不
是存在於世間的，不是存在於我們人類社會中的。但是人
類中間的結成這一種關係，果然是可能麼？第一要考慮，
我們人類的相互理解，能夠達到什麼程度？男女之間，在
他們相愛之極的時候，是否兩個心合成一顆心的？男和女
已經是個別的存在，一切意思的傳達，不能不由種種動信
的表出；造物主賦給人以視力的時候，不曾附加一種可以
看透思想的力量；所以人類的了解，只能由相信的程度去
定了。假使你絕對相信一個人，他便是在你有十分的了
解；所以男女的互相傾心，是由於各人對於他一個的信
仰，並不是兩個心的合一，而是在各個心裏面，再造成一

28　　戀　　愛

顆假想的心；誤認這顆假想的心，是從外飛入，不是由內發生，才有二心合一的話。二心合一是不錯的，不過其中的一心，就是原來的心所造的假像。但是戀愛的當時，却能對於這事件滿意，相信這是與確的戀愛了。相信就是實在。於是必然要進行到情死的境地，以完成他們的新世界。這一種由誤認而成功的新世界，已經說明過不是我們地球上所存在的境地。

還有，這個假像有時觸碰了堅硬的實際，破損了的時候 那時覺得戀愛是一件不快意的事情。這也是因為不曾了解戀愛的本質，而起的過誤。因為戀愛是只根據了信仰而成立的，一種假想的光輝，是必要的；這一種光輝消滅了的時候，戀愛已經不存在了。其實戀愛並沒有存在過，不過是一種假像的破滅；那時所有的哀惜悲惱，不過是曾經營一件事業的人，突然失敗了一樣的心緒。把自己所造的一種圓滿的假像，打破了的不快感，不能說是失戀。戀愛這事情，並不含有什麼不快意分子的。戀愛的內容，是什麼都沒有的，是空空洞洞的一種非實在。所以稱為失戀

的人，其實原沒有什麼可失；得戀的人，也沒有什麼可得，都不過自騙自一回罷了。假定他們果然是有所得有所失的，那麼得的失的，不是戀愛，而是肉欲，苦痛，快樂，金錢，名譽，虛榮，狂妄，癡呆，以及精神病等等，都是和戀愛沒有關係的，都是悞認。有許多人誤認肉欲就是戀愛，有許多人誤認戀愛是快樂和苦痛的關合，也有認戀愛是金錢，也有認戀愛是名譽，也有認是虛榮的，也有把自己的狂妄癡呆當做戀愛的，也有把精神病當做戀愛的。所以近來社會上戀愛的呼聲，是這樣高這樣大，都是由於誤認而發的狂喊。所以喊樂的人，不久就喊苦了；喊愛的人，不久又喊恨了；叫好的人，不久叫惡了；祝頌之歌，一變而為詛咒的聲音了。其實都是和戀愛的本質沒有關係的。戀愛不過是一種夢境，原是不存在的幻覺，和我們是不生什麼關係的；我們對他不會生起讚頌，也不會生起咒罵的，他是超越人世間的一種獨立的存在。

　　一對男女的相好，熱心到把頭腦都熱昏了，造成一種的幻覺，便是戀愛。戀愛場中的事情，定是和做夢一樣的；

30　　戀　　愛

在那時候，他自己還不知道所做的是什麼事，只是昏昏沈沈的。假使這一種昏幻的狀態繼續亢進到了情死的埸地，他們總能得到真的戀愛；進到了死的旅路，這戀愛是確實了。假使不然，半路上夢醒了，則不能稱爲什麼戀愛；只算走了一部分的徑路，不曾走到戀愛的大門口。但是實世間的大多數，都是走到了半路就灣的，所以有人覺以和戀愛絕不相關的結婚，當做戀愛的必然的歸結，眞是可笑。結婚和戀愛的沒有關係，正如天空白雲和地上青草的無關一樣。戀愛是理想的浪漫的幻覺的虛空，結婚是世間的實際的社會的事實，截然不能有關係的。在結婚的男女中間，有道德的強制；在戀愛的男女中間，只有自由的歡悅。這二樣的不同，是明白得很的，也不必喲喲了。總而言之，戀愛是一種夢境，要達到這一種夢境，先要把腦筋弄昏方可；而且絕對不能再使他蘇醒　否則便要中途絕斷或轉折了。這樣，一直進去，到了死，才進了戀愛的大門。這方才是眞的戀愛；眞實的夢境，是在這時候出現的。在達到這地步中間的過程，不過是我們所假想的夢境，所以能有醒

屠　蘇　3¹

殺之可能。真實的夢境，是不存在於這實世間中的，就是這戀愛是空虛的，不是我們人類社會中所有的，這就是我在篇首的主張。

十四年冬末月在江灣

Denishawn Dancers

章 克 標

　　遲疑不決的我，終於動身了，走到岡崎公園，買了頂起碼的入場券，終於走進會場了。樓梯還沒走完已經看見裏面的人塞滿了全個會場。所有的坐位，自然一個都不會留着，特別等我去佔領的。因爲我買的是頂起碼的入場券，因爲遲疑不決的緣故去得晚了一刻，當然不能和捷足先登的競爭了。幸而還有可以立脚的地方，還有可以容我選擇一個比較適當的地位站立，我就像銅像一樣的在那一所地點固定了。跳舞是七點鐘方始開演的，我進去的時候六點還沒到，自然不能算遲。因爲本來我以爲是六點鐘開始的，所以能這樣早去，但是已經不能搶到一個坐位了。那麼知道七點鐘開演的人，來的自然有比我遲的，這許多人，除了站立之外，只能立在牆門的欄杆上了。到了六點半，場內差不多連站立的地位都沒有了，眞個是「滿員」了。爲什麼有這許多人爭搬來的？不過是看舞蹈　不

過是從亞美利加來的一個跳舞團的公演。大牛總是廣告的力量，說 Denishawn 一團的舞踊團，是世界有名的；Denis 是和 Nazimova 同樣的有名女舞踊家；說是美洲獨創的舞踊，和伊太利，法蘭西，西班牙，俄羅斯的舞絕然不同的；說特別富有東方的藝術趣味；說是極難得的一個機會，大家該來一廣眼界。所以大家就來了，以致滿場無一點隙地，經營者方面的袋中可以滿一次了。

　都是女人，都是年輕的女人，觀衆的十分之七以上都是女人。在我站立的周圍一個個添出來的也都是女人。一方似乎心中有一陣喜悅，一方似乎心中有一陣不安。老實說，像我們這樣年輕的獨身者，平常所注意的，第一在有沒有漂亮的異性。無論在街路上，在店舖裏，在電車中，在公園裏，在集會的時候，在遊嬉的地方；總要看一看周圍的形勢，倘使果然有可以認得 Mona Lisa 的，就覺得心曠神怡，有不能以言語形容的快感。只要看了幾眼，就算是無上的幸福。四周圍都是異性的我，總想像有可以一看的人物在內。況且是在單調的生活覺得更加單調，使神經

34　　Denishawn Dancers

銳敏的多感的秋天，心中早希望看有可以轉變這枯憔生活的一瞬間。在這一羣女子包圍之中，總有無限異樣的心緒，似乎在一個可以默默享樂的境界。但是只有一個男子，前後左右都是女子，覺得她們的勢力極大，似乎有受着壓迫的一種樣子，心中却有一點點的不安。況且女子是最多講話的，所以在耳邊她們談話說笑的聲音不停，更加使我感得是無伴的，是孤獨的，不安便不止一點點了。

　　七點鐘還沒有到，大家已經十分心焦了。我站着近乎一小時，也覺得有點脚酸了。四面都是人擠得身體都不能自由轉動。空氣中散滿了女人所帶來的薰香，有種種香水的香，白粉的香，還有頭髮上的椿油的香，這一個香字也可以改做一個臭字，髮上的油經過了長時間的積集，那一種奇怪的氣味眞令人難當；別的還有一種腋臭，我們那邊俗名稱爲貓狗臭的，也在發出他的威力，彷彿像鼬的放惡臭同一作用，想打開四圍集聚的敵人。這樣空氣是很不容易混合成的，呼吸了此種空氣，種種感情從心底像泉水一樣湧出。不但由空氣中傳來的香氣，使人的神魂振動，　其

寳入太多了，隔着所穿的衣服，我可以感到傍邊的女子身上的溫熱；也可以感知她筋肉的彈力。許多人差不多已經擠成一團了，於是臂上是女子的身體，胸口是女子的身體，背上也是女子的身體，以至腿上都是女子的身體，異個身體微勁的自由，都失掉了。頭髮擦到我鼻上來的，帽子硼到我眼鏡上的，手臂硼到手上的，異使我感到萬分的惶惑。然而她們倒談笑自若也。一個多感的神經質的男子，一個獨身的男子，一個情欲滿滿的男子，到了這一種境地，異是手足無所措了。我異被她們擠得沒有方法了。我並不諱言在互相感着筋肉的彈力時，有一種愉快的心狀，一方覺得擠得討厭，一方面却有一種享樂心情浮勁。

　總之落在美人（在日本，年輕的女子，都用這二個字代替的，所以借用了，不能認異的）陣中的我，是沒有法子了。要退後也沒有路，要前進更加不可能。在左右爲難之中，電燈一暗，舞台上映出青色的光線，鋼琴的聲音也鬧到了。閉着的幕勁了。坐在前方的人忽然站立起來了，後面的人便立在櫈上了，鹽前衝的力在我背後推上來了，轟

36　　Denishawn Dancers

乘動搖了。我站在這動搖之中，勉強立住了脚，伸長頭頸，向舞台一邊看去，努力歸於無効。頭頸的伸度是有限的，除了靑的光以外，一點也看不到什麼，在同地位的人，也和我一樣，口裏說，『看不到』『前面的人好好坐下來啊，』但是懇求往往是沒有効力的，於是競爭向前的力更加大了，我幾乎不能支持原來的位置，正如在波浪中一飄一蕩。有幾個女子幾乎要跌了，她們的『請不要推呀，』『請不要擠呀，』的聲音，又起來了。我是再也不會去擠別人的，但是推過來的力量極大，有使我不能立穩的勢力，免不得要偏到別人的身上。一方想女子總是弱者，我雖則有十分力量可以自己支持，但是不是英雄用武之地，只努力不去擠着別人。但這也是極困難的，一方面要不住探頭去望，一方面要顧到四周的人，假使傳來的力極大，便是無法的屈服，又要衝犯別人。所以那句『請不要擠啊，』的話，使我非常不安。我又不是安心推擠你們，把他方傳過來的力量傳給你，是無法可想的事情。但是我是一個男子，總覺得非常不安，恐怕她們疑心我故意的排擠。假使我周圍都是

男子，我可以毫不客氣的維持我的地位，但是對於她們，只有退讓的一法，以致我站立的地位，一點點移向後方了。但是仍在女子的中間，仍舊一毫也看不着舞台上的動作，只有偶然的見了高伸的手臂，或棕色的頭髮，總不能看見一段的舞蹈。

　　最初所演的是叫做 Music Visualization 的，就是把音樂中的韻調旋律，直譯做肉體的動作，其中不許夾雜一些由舞蹈以表出歌曲中的意義，以及試想解說或描出此歌曲之神髓，只能依據音樂與舞蹈之相關，施行一對一的翻譯，對於 Symphony，則以一舞者代表一種樂器，組成一個 Orchestra。這次所演的，有 Beethoven Chopin, Schumann, Brahms Debussy 等有名人物所作的曲，但是什麼都看不見，只能聽到鋼琴的聲音，沒有法子從聲調去想像到身體上的動作。而且在這人波之中，腳根立不穩，時時要受求懇和警告。頭髮撲到臉上的機會更加多了，身體上所受擠壓的力更加大了。一羣女子當中的一個孤立的男子。使我感得非常之孤悽，我真不能忍耐了，我

Denishawn Dance.

決心了，又躊躇了一回，方奮力退出了重圍，心上還有一點戀戀於四周女性的肉體的壓力。但是反撥的心，使我一直退出了會場，走進了陰暗的林中，連心上也覺涼爽了不少。靜聽溪流的細響，坐在一塊大石上，忽然悟到孤獨的人，只是適合於寂寥的境地的。於是又要沈浸在默想的深海中去了。忽然一陣拍手的聲響傳來，大約一曲又是告終了。

　　　　　　　　　　　　　　十月十四日

給 A 的 信

章 克 標

A弟，

近日，月光大佳。我每晚在溫柔和清冷皎潔芬芳的月光底下，散步於荒郊亂塚之間，想找一個孤獨的死鬼，一個可憐的冤魂，和他閑話。可是只任我在墟墓荒塚之間徘徊，一個鬼也找不到，一個無論什麼鬼也找不到。大概那些鬼也見我寒酸得發荒，不敢來接近了。這也無怪其然，本來是人死為鬼，現在世上的人，既然如此，那麼死了的人所成的鬼，也是如此，是應該的，當然的事情，毫不足怪的。

但是，了悟了此理的我，仍還是每晚踏了月光，到荒野去找鬼。這樣一件事情，所以不得不如此的理由，你總該知道罷！

我不得到你的信，已經是一天，二天，……十天，……二十天，……一百天，……二百天了，實實足足的二百天。

40　　給　A　的　信

我天天計數着，一點也不會錯的，昨天是一百九十九天，明天便是二百零一天。你到底在幹什麼事？你到底現在在什麼地方？我一點都不能知道。我的信，像機關槍的子彈一樣射發，到你家裏，你們的公司裏，你們的俱樂部裏，你的情人那裏，你所常到的地點，你所相知的友人，以及和你有一點點關係的一切地方，去問你的消息，或者托他們轉寄給你一封信。但是，怎的一點影響都沒有？這可怖之沈默呀！有的沒有什麼回答，有的說不知悉你的近狀，有的說也正在訪你。你到底在那裏？

已經許多年不見面了，想望你得什麼似的，而今竟然絕情絕義，連信都不給了，你真够朋友呀！但是我又了悟了，幸而又了悟了，設使時到在這興奮緊張的精神狀態之下，怕不是早已不必再去找鬼了，已經自己會成了鬼麼？或者也可以說爲不幸，因爲我了悟了而不成爲鬼，所以現在還得每晚去找鬼，假使已經成了鬼而要找人，總比較容易些罷。

我的了悟是這樣的，——人類本來是孤立的存在。一

切人類社會中所存在的關係，都不過是偶然的。一個人正像天空中的一片浮雲，漂來蕩去，不知他能碰到什麼，而所碰到的，都不過是由於偶然。我知道一切偶然的結合，是不能永久的。所有一切永久的關係，必定有一種牢固的必然的根據，決不是由於偶然的。埃及金字塔之所以不倒，因爲他有適合於永久的力學的原理，孔佛思想之所以永存，因爲他們有接觸到人類心中所含的永存不滅的精神的一點。但是人和人的關係，都不過是偶然的結合。男子和女子的一時高興，便生了一個孩子，所以親子的關係，是偶然的；因而兄弟的關係，也是偶然的；一切骨肉血統的關係，都是偶然的。男子和女子自發的，或者他動的互相愛悅了，或者不愛悅也牽連在一處了，結成的一種夫婦關係，在他們相合的當初，已經是偶然的了，這夫婦關係，自然也是偶然的。至於朋友的關係，更加偶然了。偶然會在一處了，偶然認識了，偶然氣味相投了，偶然互相要好了，不用說，這朋友關係是偶然之至。講到其他的什麼僕隸什麼統屬，什麼師生，什麼什麼等等關係，都是更加

42　　給　A　的　信

更加偶然了。所以是極自然的當然的，這些事件的發生：勞工反抗資本家，將軍對大帥倒戈叛背，學校裏鬧風潮，逐教師打校長，都因爲其間是一種偶然的關係。偶然的關係所能維持的期限到了，一切便要破裂了。所以親子的抗爭，兄弟的相殘，夫妻的反目，都是毫不足怪的事情，因爲我們已經知道這些都不過是偶然的關係。所以我能夠二百天不得到你的信，還不致於變了鬼，因爲我知道了明白了朋友是一種什麼關係。

但是，正像我仍還每晚踏了月光到荒地裏去找鬼一樣，我還是一天一天計算着，天天等你信的來到。

這就是理性和感情的不能合一，所以人生是永遠互相衝突的二元的世界。人生的意義就是去調和這永遠矛盾的二元，所以人生的努力，便是在去做這永不發生效果的工作。爽快的說一句，便是人生是無意義的。所以閑散的時候，沒有人作伴，不妨去找一個鬼來談天。最可憐的，是連鬼都找不到，孤寂的時候原不妨去尋些枯樹，荒草，蓬草，乾泥做做伴，況且在月亮光底下還有我自身的影

子，永遠不離開我腳邊的影子，但是都是不會說話的，以致還得每晚非到荒郊去找鬼不行。

這樣說了，你有沒有懂？我相信，即使我一個字不說，你也會知道的。但是我仍舊說了這許多話，因為我感到一種非常的恐怖。非常的恐怖！你該記得罷，那時候我們很久不接到B君的信，我寫信問你，你也同樣問我，經過了多少時間的疑慮憂懼，後來，果然，是那非常的恐怖的，出現！B君死去已經三年了，三年了！現在同樣很長久不得到你的信，那能使我不感着非常之恐怖！我每天晚上去找鬼，一方面固然是去找那可憐的孤鬼的B君，同時何嘗不有一種找你的心思呢！但願這非常之恐怖，不過是一片虛驚，那時我還可以請求你恕過我那儌負的妄想啊！A弟！你知道，我的寂寞！只有你知道，我的寂寞！你的信不來，我將要全生命都被寂寞吞吃盡了。

請求你恕我，因為我曾說朋友的關係是偶然的，暗示我們的關係，也不過是偶然的。但是，我不相信這樣。縱使說事實是如此，我也不相信。我們的關係不能是偶然，定

44　　給　Ａ　的　信

是必然！請你原諒，我先剛不得不說那話的意思，請你洞察我說那話當時的心痛。固然一切的關係是偶然的，但是有些必然關係的存在也是無疑的。那麼，必然關係和偶然關係如何能分別呢？假使兩種關係都在同一形態之下，那麼我所認為偶然的關係中間，難道不許夾雜幾件必然的關係麼？我們的關係，怎的不能說是必然的關係？我的天天計算着想望你信的來，是什麼一回事！假使我們的關係是偶然的，這些事實何以能存在？偶然麼？偶然麼？我不信！假使果然是偶然的，正可以像鬧風潮的學生，倒戈的將軍，爽快的徹底的幹一番。但是我又何以如此不徹底！如此留戀！

　　事件的狀態，不都是依存在所信麼？在信神的就有神，在信佛的就有佛，在信耶穌基督的就有上帝。否則，不是真的信。現在自不信自的人太多了，所以特地添上這一句。所以我們的相信，就可以證明我們的關係之必然。Ａ弟！你知道，我們的關係是必然的，比我更明白，更徹透，何以不寫信來？我相信你的信必然會來的，那麼你的信便

該來啊！天天等着的你的信呀！啊！孤寂！

　　A弟，你雖然是個男子，你竟然能使我味到了失戀之苦味了！請你不要爲了這一句話動怒，因爲事實或者是如此的。所謂戀愛，也不過是存在於男女中間的一種相關，失戀不過是這一種關係的破滅。因爲這是一種偶然的關係，所以會達到破滅的境地。我們的相關，當然不曾達到破滅的境地，我也相信永遠不會破滅的。但是在現在的狀況之下，和破滅有什麼分別！假使稍微有一些分別，我也不曾提起那人類關係是偶然的議論了。失戀！失戀！失戀是一個多麼美好的名詞！無戀可失的我，竟然也味到了相等的苦味。沒有戀愛體驗的我，眞應該重重的感謝你。自然，這也不過是我的一種妄念，要無戀愛體驗的人來談失戀，眞不會比盲人摸象高明的。不過我却能閉上眼睛自己得意。這可憐的孤獨者的自慰！

　　別的希望是沒有的。只希望你的信來！所說的話，或者足以使你發笑，或者足以使你發火，或者足以使你發水，發哭，都不過是要引得你寫信來。假使再不能引得你

46　　給 A 的 信

的信來，那我眞是黔驢技窮，只好讓孤寂儘量吞吃我的生命了。那時，我變了鬼之後，便當立刻來找你，一定鬼找人是很容易的，找到你便永遠不離開你。因爲我相信我們的關係是必然的，實在是不應當離開你的。那時，我再也不用要纍你寫信來了。卽使你要寫信申訴你的苦楚，也無處可寄了。不久，你也只得被孤寂吞吃了，何不快快，我們聯合起來，對抗那孤寂的惡魔呢？

　　　　　天天願着你來信的朋友

　　　　　　　十四年十二月二日在江灣

懸 崖 勒 馬

張 水 淇

A　她死了！

B　怎麼死得那樣快！敢是急病死的？

A　不，是手槍打死的！

B　打死的？

A　打死的，她是爲你而打死的。

B　爲的是我？我不是早就絕她的麼？

A　你絕她固然是懸崖勒馬，在她到底不能忘情，你那時的一片至誠，叫她無日不想起你，雖然放下屠刀立地成佛；她却柔腸百結，不能像你的毅然捨去。她爲了你，對了我也不知落了多少眼淚。

B　我對於她不能不說是薄倖，但是怎麼爲我而打死？

A　她有一天正在偷看你的照片，給那人瞧見了，就吵起來，那人是强盜出身的武夫，就拉出手槍，一槍打死。

馬　勒　懸　崖

B　（聽了這話，牙齒咬緊了嘴唇，兩隻眼睛圓睜起來，兩手握了舉向桌上亂拍道:）他好狠！好狠！我一定要報仇！一定要報仇！咳！玉樓呀！玉樓你爲什麼命那樣苦！爲什麼那樣痴！我那樣的人你還記著幹麼！

A　你別性急，人已死了。你早已絕她的了，現在也不必那樣的冒火。

B　舒曼！你是知道的，我絕棄她是迫不得已，我若是戀着他，不勒馬懸崖，我不能不有家庭革命。我父親多麼愛我，我如何能忍心做那一齣戲？我不願有二妻的，我雖然沒有結婚，但那邊怎麼能離掉？那邊的性情，才能，容貌我是一些也不曉得，但是我父母都狠滿意，我難道不能犧牲一些給我二老快活一下麼？我存了這個心，我就不想去離婚。人生不過數十年，何必十分認真？我就隨他們擺去。我既然不離婚，那末我就不能戀她，戀下去，於我精神上，一時或可以稍好，但是終不能有良好的結果。她就是肯跟我，那邊吵起來，家庭裏就不能和平，也是一件不有趣的事。

A　你決然的捨她，我也佩服；并且那時正在熱度到沸騰的時候，你却忽然皈依菩薩，治起佛學來，把兒女的情置之度外，我也佩服得很。

B　我讀佛經是病來求醫，我那時心中苦惱，實是不可言語形容。

A　我也知道，你至今這樣的憔悴無生氣。你若於那時娶了她，你或者精神可以煥發。

B　說到這一點，我不能不嘆氣，我又不願學那舊人物，別營金屋藏嬌，又不願學那新人物，起家庭革命，我終覺得父母不可不使他們歡喜一下，自身不可不犧牲一些，在那時我為道義所驅，我就不行離婚，也就不去和她交際。論到戀愛至上的話，果是大家情愛相結，就是赴湯蹈火也要去，粉身碎骨也要做，我那樣的顧前顧後，實是一個懦夫，一個無用東西。但是天地之間，究竟不只是二人，如果我與她像阿當夏娃一樣，只有二人在天地之間；那末可一切不顧，只做那戀愛生活。但是我還有父母，她還有母親，我父母未必歡喜她，我冒險娶了來，假使家庭裏生

50　　懸崖勒馬

起變端，我父母只有我一個人，我如何能對得起他們！不但對不起父母，假使他們因此不愉快，做兒子也是不安心的。這不是我要做聖賢，我心裏實是不能不顧到父母。還有一層，女子果然是與我全生涯有關係的，但我的全生涯決不能只犧牲於異性，我當向我所志的進行纔是。

　　A　你絕她的苦衷，我十分了解，但是她可憐透了！她對於你，實是至誠至意，她那時聲價何等高？何等闊？把一般男子像她的奴隸一樣呼叱驅使；那般寃桶拼了命的去奉承，她瞧也不瞧理也不理。你到她那裏，她就曲意奉承，無所不用其極，博你有一刻之歡。或者你那時的英俊氣爽，是她所佩服的地方，但你究竟那時是一個學生，她能獨垂青眼在風塵中，得此知己，在那時做朋友的無一人不羨慕，爲了你吃醋的也不知好多。自你忽然斷她，她對了我哭了幾次。逼我約你吃飯，會你一會。我就約你到大觀樓，她與我等在那邊，等了好久你纔到。到了那邊，你却一見了她就跑，她叫你，你頭也不囘，後來你出去的時候，從窗口瞧見你，果然也是掩着面坐在車上。但是她那天却

在我面前痛哭了一場，她說：『我一些沒有待錯他，他怎麼變得成了那個樣子？總之我是命苦，做那種生涯，給他瞧不起。』我那時慰勉她一番。那天晚上我到你那邊，本想罵你一下，不應你竟也傷心的不了，兩頰飛紅，發起熱了，我也不忍責你。照你那晚上的樣子，你對她情確不是忘掉，是不得已而強壓掉，你的苦悶，那時我見了也可憐。你見了就走，或者是怕重入孽障，但是太狠了。

　　B　你給我想法，我豈不戚激，她那樣的多情，我又不是木石，那能不動心！你知道的，我那天是哭了回去的，一傷心身子就發燒。你又多事，把這段情事告訴她，使她不能恨我，絕我，嫁了人還想着我，致丟了命，所以深文周內，苛責起來，你是殺她的。我一見就跑是想叫她早絕我，棄我，恨我，使她灰了她的心，不料你却又多事。

　　A　我不是多事，我見了她的可憐的態度，不能不將你的情形說給她聽。叫她知道你的苦衷，你的迫不得巳的情形，使她了解，但是她却因此更多一番愁恨，她因此更恨她母親，恨她生涯，她時時要想逃走，要想尋短見。後來

52　　懸崖勒馬

你回南了，她對於你還想挽回，想逃到上海尋你，遇見了我無時不偷問起你的消息。

B　我回南之後，心境沒有一天爽快的時候，一個人常自懷悔自己太守腐儒愚佛之說，把春花秋月等閒度去。常恨社會，恨古人，創種種禮法來拘束我，使成了一個死人，把我可燒盡世界的情火，壓縮在我方寸的心中，燃燒我活潑的靈魂強健的肉體使成為遊魂走屍。那末儒的怎麼主敬？孔子的怎麼克己復禮？釋迦的怎麼無無明？都是叫人做陳死人，叫人做冷血動物的謬說，恨起來，想把所有的經典學案，一齊燒掉。

A　你禁慾了好久，肚子裏的 Libido 作怪起來使你成了一個 Misogist 平心論起來，那些聖賢的教訓也有確從的價值，你若不是在那時治內典，你那能絕她。

B　那些聖賢所說的話，都是經了一番深刻的經驗而成的，千思百想而得的，他們要適應於社會，要安靜其良心，總有那種說。他們一方面要有安甯之社會，安甯之生活，他方面要有安甯之心境，得仰不愧於天，俯不愧於

人的境地，用種種方法把自己克制，使恬淡寡欲，心不放肆，使對於社會無有衝突，社會得有安寗的秩序，自己就可以享安寗的幸福，他們的教訓的確有眞理存在。只是我雖然也承認他們所說的是好話，也曾照了他們行事，把她決然捨去，但是我心頭却時時要浮起她的影像，我雖然牢守了非禮勿視，非禮勿聽，非禮勿言，非禮勿動的教訓；但不時想到她，我雖然作這樣想：她是一個軀體，外面包的是臭皮袋，裏面裝的是膿血白骨，生出的都是臭東西，七孔裏無不出骯髒污穢的東西，過了幾十年是一個土饅頭飽，幾根白骨，朱唇消滅露出要吃人的兇牙，媚眼無存，只剩兩個怪洞；但在曙光微露的時候，更深夜靜的時節，她的黑沉沉的眸子，媛滴滴的聲音，白裏有些紅光的兩舌，笑嘻嘻的臉兒，常常在我眼前，我有時覺她將柔輭雪白的兩臂抱在我頸上，嬌聲喚我，有時覺她縮在我胸中，柔聲哭泣，恨聲怨我，有時覺兩相擁抱着，輕道：『天長地久有時盡，恩愛纏綿無盡期。』但開了眼睛細看，那裏有她，不過是夢着罷了。我夢着了她，我也自想道是功夫不深，修

養不到，故無明生起，欲念內潛，生出這種豔夢。然而我雖竭力的壓制我心，不去想她，終不能一些不念着她，想着她的時候，就不能不恨那些聖賢，因爲照了那些聖賢，總絕她，總把她丟了。若是沒有那些聖賢胡謅在前，社會上也不致有那些桎梏，我可以自由了，她也可以自由了，不至於勉強分離，所以想到她，就恨到聖賢。

A　聖賢有聖賢的用心，你別妄恨，也別因憤生恨。你決絕她，是你自己造意，也不能卸責於聖賢。聖賢雖留下教訓使社會生一種不成文的法來限制你，使你不得自由，你甘心受他們的限制，不是你的主意麼？你若是拼了命，和社會戰，和一切戰，背上負了她，努力的鬥去，一切也不顧，什麼都捨去，名譽也不管，金錢也不要，只攜了她共生死，你就可以不失掉她。你却千顧萬慮，瞻前看後，丟不掉家庭，離不了社會，就不能不離她了。

B　老哥責備得是，但是你給我想想看，我好離家庭麼？我父母只生我一人，我離了家叫他們怎麼過日子，他們養到我這麼大，多麼愛我，我若不給他們一些快活，使他

們老來多許多憂悶，心裏實在不忍。并且她的母親，是把她作為錢樹子的，她就是不顧一切而跟我，我總須花幾個錢，她是遊蕩慣的人，雖然她為一時情感肯跟我，能否長久，是一個問題，她能否作家庭中的人？又是一個問題，我是一個學生，未娶妻，先娶妾，這種行為社會上是否認為正當？也是一個問題，她是豪奢的人，我家中能否許我濫用錢？也是一個問題，她對於我果然情熱到十分，是否更沒有情人？也是一個問題，弄了來後，未婚妻那邊能默然否？也是一個問題，還娶她否？不娶她解約否？解約用怎麼名義？都是狠費研究的問題，與她好下去，這種種問題也就在我腦子裏攔着下去，與她一日不離，這種種問題也一日不清。我身體本來狠弱，怎麼能擔負這許多的麻煩問題？我不如直截爽快離了她，免得煩惱，萬不想她竟如此多情，如此真摯。我若知道她那樣的真情，我就不該雜裏她，但是我當初雖然知道她，對於我有情，只當她愛小白臉兒的情兒，實不料她竟是真情。後來我也知道她是真情，我想免得多事，免得生種種問題，就決心的絕了她！絕她的

56　　戀愛初期，

時候我真是割心頭肉一樣，不過那塊肉雖然是在我心頭，却是一塊孕癌的肉，不割掉，終要作病的。丈夫不用快刀斬亂麻的方法處置一切，那能出世？我所以取不見可欲則不亂的意思，毅然決然絕掉她，我想我萬不能為了一個女子，把我父母，我家庭，我身體，都抛棄掉，照你所說，只有死和逃的二法。死掉了哀苦也不曉得，何況快樂，死何必呢？幷且死是逃責任的行為，不是丈夫所當做的。逃的方法可做，但是父母怎麼樣呢？他們因此有了病變，能安心麼？也是一世的不安心，也不是妥當的方法。

　　A　你的苦衷，不但我也諒你，就是她也諒你。不然你那樣絕她，她還想你麼？戀愛的事，確有不能純講理想的地方，因為戀愛是生活中之一事，萬萬不能離了生活，而獨立存在，若使沒有了生活，還有什麼戀愛？所以在戀愛的時節，生活不可不深加致慮。你對於生活加以細心注意，而後決然絕她，雖可說你不能免俗有打算計較的心思，然我人既然另有一個大目的，大志向存在，那一方向自然不能不犧牲了。

　　B　我知道了她嫁了人，我就也安心，也不想因我的一張照片而致死，叫我一生中不能忘掉，不能不抱恨以終古。可是她也太痴了，我實是對不起她！實是對不起她！她既然是被人打死的，怎麼法庭不出來檢查呢？

　　A　打死她的是闊人，打死一個妾有什麼大不了？中國你還以爲有法律的麼？中國的法律，是有權利的人造來，限制無權力的人，教他們不要亂吵的，古時是刑不上大夫，現在是刑不上將軍。他打死了她。說是她是自殺的，誰敢哼一哼，說一個不字，中國是武人强盜的世界，你還以爲有法律麼？

　　B　咳！可嘆！可嘆！所有好的東西，美的東西，都給那班武人搶去，都給他們毀去。我一定要報仇！一定要報仇！

聖　誕　之　夜

沈　寧　白

　　我的 H S！我們的試驗，今天總了，半月來被舊本子纏悶了的我，好像脫了籠的小鳥，不論怎樣大的風，也不能阻止我的出外，我冒了寒不辨方向，往郊外走了一陣，覺得鬱結的精神，悶慣了許多，到傍晚總悶來。有許多同學，多到 K 市的教會去度聖誕，我總知道今天已經是十二月念五，可惜的一年，又是這般忽忽的去了！

　　今晚上，比平常更靜得厲害，除出了窗外虎虎的風聲，和桌子上一口小鐘之外，住幾十個人的寓，寂寞得像一座森林。我坐在爐邊，只是痴想，起初我想買一點東西送你，紀念這一年，但是我想不出適當的物件，H S！我要送你的是我的生命，我的生命，已經送了你之後，另外何必再想物件送你呢。過了今晚，這一年，總算過了，在這一年裏，我可遭了你不少的煩悶，當我寂寞的時候，被人們欺負的時候，我總將那些說不出原故的悲哀，來訴給你

聽！我不是不知道你要代我傷心，但是知道了，有什麼方法使我不然呢？像我這個被世界擯棄了的人，在這個世界上，除了你之外，誰還肯來聽我的哀訴而加以安慰？本來是神經質的我，這幾年來，我也知道自己的性子壞得厲害，我怕熱鬧比蛇蝎還厲害，三五個人的集合，我再也不敢去參加，為了些微小事，雖則至好的朋友，也不恤破門爭鬧，事後，我常獨自坐着，或者呆呆的立在樹底上，睡在草地上，偷偷的流了些眼淚。為了這些緣故，我在這離故鄉幾千里的海島上，異國的同學，是不必說，在幾十個同國人之內，我也被他們看作怪人，隔離在他們交游之外，有些人說我負才使氣，使氣呢我固然有，若說負才，像我一輩子平庸的人，有什麼才可負？——到了現在我不能不自己承認最不歡喜的平庸，實在是我無上的痛苦！在少年的時候，中學校的王國，我如火如荼的事業，受同學們狂熱的歡呼，痛烈的攻擊，多是我現在憧憬不塌的往跡，一所以我的生活，除上課看書之外，我只呆坐，我只悲哀，此中我覺到別有靈地，別人不能了解的聖地！沉默！我比海

60　　聖誕之夜

邊的牲犧還沈默得厲害！

　　我現在從事着的學問，實在和我的天性相去太遠，像我這樣專愛空想不務實際的人，實在不能學工，但是這般的環境，我如何能擺脫呢！四年之前，當我在 A 工業中學校卒業的時候、我平素最敬重數學先生，曾經很懇切的勸告我，叫我棄了工業，去做新聞記者，同時有人勸我去學美術，現在呢，文藝美術可不必說，做一個有自由天地的新聞記者而不可得，力率能率，正弦曲線，做了我終身的伴侶，是何等可悲的不幸！是我所不能忘記的，在卒業前兩天，爲了學校的設施，沒有一次不和我立在反對地位，被我們當作不世的暴君的校長，叫去年死了的蹺脚門子魯升來叫我的時候。

　　『你卒業後打算怎樣？』校長問，他銳利的目光，買通了我的心靈。

　　『…………』在老虎面前的羔羊，只是囁嚅。

　　『假使你從此就停止了你的讀書，那我想替你找個位置，但是我很爲你可惜』他微微帶着激勵的語調繼續着：

『總之你不要誤了你自己，假使你有意上進，學校方面，在經濟上可為你幫忙。』

一個月之後，我感激了這位暴君的知遇，心裏祕藏着發明發見的雄心，為國為家的大望，一帆風順的吹到了櫻花三島。到現在，往日的雄心，消亡垂盡，我的恩師，也已經披髮入山，我寫到這裏，禁不住擱筆長歎，你也不能為我感慨無量呀！

風吹得怪厲害，打在窗子上瑟瑟的響，像在下雪子了，但是屋子裏依然和暖得像春天一樣。我將你給我的信整理了一下，在這一年內，給我的六十五封信，在他人眼中，似乎太多，在我呢祇嫌太少！因為這些信是我沙漠旅行般的人生的唯一安慰，我有一星期不接得你的信，便令我狂也似的渴念，死也似的頹靡，在這些時候，會有許多很可笑的幻想的恐怖來嚇我！有時在夢裏哭了出來，引得旁人說我瘋子。但是，我的 H S! 我在你的信裏，最大的遺憾，就是你有許多欲言又止的地方，誠如你說，卽使朋友能諒解我，但是我專拿這些無病而呻的頹喪話去擾亂人

家的心境，總覺得沒趣。你有一次在信上說：『因為我，使你在千里異鄉，替我担憂，我是過不去的。』你的苦心，我豈不知道，但是你要知道 Love's very pain is sweet 啊！美的靈魂的接觸，所能賜與的，祇是苦痛，我們與在痛苦中，認識自己的生命，在淚花中尋求甘香的安慰。記得白朗甯（Browning）的詩 One word more 中，有幾句說．『好像月亮一面給人看見、一面只是藏着一樣，不論誰自己多有不同的兩面，隱藏着的祇可給寄託靈魂的愛人看的！』我的 H S！我煩悶時，傷感時，儘請告訴我吧，如你許我代你流些眼淚時。

　　我常常想世界上身世淒涼的事，沒有過於沒了母親的女孩子的。有人說做女兒的時候，好像浮沈在愛海裏的一條魚、是啊，魚兒的快活是因為有水、像你一樣從小沒有母親的人，傷感和頹廢，自然是應有的產物。你現在的母親，年齒和你相仿，你能在她那裏找得些疼愛嗎？有些事你能像自己的母親一樣的撒嬌癡嗎？譬如去年秋天的那一囘事，假使你母親尚在，很使你那樣為難的嗎？你家

庭的狀況，我雖則不明瞭，但是我已經知道了十之七八了。今年九月間，我從上海回校的時候 L 姊和她的弟弟，和我同船，在百無聊賴中 他們和我談起寄寓在你家裏的情形來。

『 T 師母眞會做人，在中國實在不常有這般殷勤的人，』L姊一面打她的絨頭繩衣，一面說：

『她很有點日本性質，日本人的主婦，你將來總得她的弟搶着說，用手指着我。

『但是她總脫不了舊家本色，譬如她非穿裙子，不到樓下去，可憐的是 H 妹妹，她不能不學她母親，我們動身的時候，她也穿了裙子送到我們門口！』

在這幾句簡單的談話中，你在家裏如何無聊，我已夠知道了，失了水的魚兒，離了巢的孤鳥！我眞爲你悲傷。但是，我的HS！在酷日下沙漠中的旅人，往往夢到淸涼的腴地，我們也不妨努力幻想，求一點虛無的安慰。在夢幻的王國，纔有蔚藍的天，常綠的樹，象牙的船，白銀的欙！

在這般死也似的沈默中，往往令我狂喜，我似乎已經

64　　聖 誕 之 夜

從世間解放了似的，我的心會慢慢的擴大起來。從前我歡
喜黎明，近來却祇愛黑夜，在晚上兩三點中從夢中醒來的
時候，實在是我最感到人生的幸福的時間，我們被强烈的
色彩，車輪和機械的噪音所疲乏的神經，唯有這些時候，
能得到一點真實的休息。在水也似的晚間，正好像被棄在
一個無人的小島，張着眼睛，也看不出那裏是美，那裏是
醜。啊啊！我願做一個沒有眼睛的瞎鼠，可以免看見世上
一切的齷齪……，當我這樣寫下了，但一回想真的成了一
個盲人，那我便永遠不能看見你，哦！我寗願沒了我的生
命，也不願犧牲我的眼睛的！

　　兩年之前，是的，是我在 F 縣度第一次聖誕的時候，
我也曾隨着同學們，到K市的敎會去看過一回熱鬧，——
像我一樣沒有信仰心的狂徒，祇可說去看熱鬧。——當
時，我只像石獅子也似的坐了一回，不覺得甚麼，但是到
了臨睡，我就發作極度的傷感，尤其是我想到那些如水年
華的如花美眷的時候。H S！我想到了李白『昨日朱顏子，
今朝白髮催；』和箕次（Keats，『明眸不爲美人留』」（Where

Beauty cannor keep ber lustrons eyes）的時候，我總像失了神也似的痴痴地游了幾點清淚！想吧，『一朝春夢醉，嫁作商人婦』的姑娘們，在她爲兒女所苦，柴米所窘的晚間，坐在慘淡的燈光下面，以鏡子裏看到她眉間頰上，流露出幾條皺紋來的時候，不由自主的想到昔日在聖誕晚上，孔雀也似的且歌且舞，博得滿場喝采，臉上帶着不能遮蔽的驚喜，心中燃着希望之火的光景，能不泫然下淚的嗎？罷罷！不再說這些傷感的話來引你的眼淚了！

　　總之，在世間最可憐的是像我一樣沒有藝術的天分而不肯退出藝術的花園的人，藝術的陶醉，旣不得希冀，俗人的歡樂，却不願遷就，結果，我和歡樂之神，像北極的冰魚和南非的椰子。

　　我本來不敢告訴你，但我又何忍不告訴你呢，其實，在前三天，試驗的當中，我曾經突然卒倒在浴場裏，當時雖則很吃驚，但我倒私喜得了一次卒倒時的恍惚狀態的經驗；後來在鏡子裏看到自己憔悶的容顏，却又不知不覺的悲傷起來，我這幾年來，旣沒有病痛，更沒有重大的不

66　　聖　誕　之　夜

幸，我儘怪自身為什麼消瘦到這種地步，本來呢，像我這般平庸的人的生死，値不得世人的注意，死了，祇當是園子裏少開了一朵野花，驢脚下多爛了一枚釘子。但是，再一想，假使這一朵野花眞個美了的時候，你必能為之下一掬同情之淚，那麼，能夠博得純潔的處女的眼淚的『姿謝，』我何必當作畏途呢！

你聽我告訴你聖誕當晚的情形，你或者在期望許多可喜的異國情調，但我能給你的，只是如此。

風依然在吹，雪依然在下，桌上的小鏡，指示着今晚和明晨的交點！

一九二四冬在Ｊ市

我記起你的一雙眼

滕　固

我記起你的一雙眼，

　　像二顆明星；

當你寗靜地注視我，

　　輝在天空，是威靈的神明。

＊　　　　＊

我記起你的一雙眼，

　　像二顆明珠；

當你活潑地斜視我，

　　滾在盤中，指尖兒捉摸不住。

＊　　　　＊

我記起你的一雙眼，

　　像雙生的燕子；

當你歡笑的時候，

　　迎着風兒，翻覆飛舞不住。

＊　　　　＊

68　　　我記起你的一雙眼

我記起你的一雙眼，

　　　像雙生的花朵；

當你哭泣的時候，

　　　掉在銀河裏，嗚咽地苦訴。

屠　新　69

The Lonely Road

滕　固

——在 S 的宇讀 Capp 的畫——

遼闊無涯的大地，

把山林煙水藏匿了；

前途幾何萬里？

可望的，祇有天空靈鳥。

孤獨的旅者，快拉你的 Violin，

靈鳥尚能賞識你的妙音！

你拉得越緊，

天際離你越近。

人們給你遺棄了，

他們最後的哀叫

——嗚嗚咽咽，何其悲壯，

長留在你的絃索上。

太陽下山了，你冀要返頓，

70   The Lonely Road

因爲你所熱愛的婦人，美酒，

不許帶進你所渴望的國境；

那王國裏，祗有不近人情孤寂枯窘。

屠　蘇

晚　間　之　事　實

李　金　髮

大地重入其末次之夢境，
幷轉運其神祕之思索，
任明白在中天空懸，
任人間散佈其狂喜的言笑。

秋蟲不同意我們的快愉，
覓斂了聲息在殘葉之底，
若非花影映上門兒
幾作我在人世孤立了。

若任空想去希望，
或者天堂早住滿了好人們，
可是自慚形穢的力作者，
至今天地上沒幾個『肝膽』朋友！

72　　　晚間之事實

Sirène 臨流玩月的傳說，

既過去得久了，

如今在淒清的月色裏

只有我們能引頸流淚。

其學平原的善忘與長林的

豪放，至於秋蟲的不覺悟，

是詩人不共戴天的，

因爲他們只能發揶揄不幸者之音。

二五年十月呂珩路

在天的星兒全熄了

李　金　髮

Die Sterne, die begehrt man nicht,

Man freut sich ihrer Pracht.

我欲用你口兒，

製造詩句，

但所有的記憶

都消散了。

我寫疾流的水，

變色的天空，

到春色滿園時

再描你不馴的心。

我要你的了，

74　　在天的星兒全熄了

撫這傷寒之額，

於是屠弱之吐氣，

化爲海市蜃樓。

II

這等是你沒見慣的：（帶病的詩意）

在天的星兒全熄了，

雨後千萬爬蟲匍匐着，

樹枝兒搖擺着新洗之臉，

不久小鄉村抱頭睡了，

還留下幾盞殘燈，

去支持這孤冷。

流泉又來終日的哀哭，

奏成單調，

欲從此與久神私語。

III

兩個生物走着，

他們遠離了鄉土，

去看火紅的樹花，

廣杳百里的鯨魚。

夜像靈魂般空泛，

向囘憶去找尋食料，

但心頭有點煩悶

遂厭惡此污濁之空氣。

雖是大雪的天氣，

窗兒在前面開着，

一片大地的呼吸，

進我心裏醞釀病源

我聽不到什麼，

更想不到什麼，

小鄉村的老實之景象，

76　　在天的星兒全熄了
————————————————————

給我片刻之 Eternité.

IV

「豈是末次的夢想?」
懷疑的人如此思慮着!
一半青春的時光,
無聲響地墮地了。

V

微笑之口的呼吸,
發出醉人之香氣,
若無人愛惜之,
便飄渺銷失在天空。

我有 Suruaturel 之性格,
如殘多欲脫萼之花朵,
可惜一半青春的時光,
無聲響地墮地了。

屠　蘇　77

撒手罷！

此種 Mensonges,

既殘舊的調子！

我以前衝動時，

亦如此首途去，

一樣的晴天，

雲兒向岡背趨着，

如今我又在這裏了。

VI

往昔的春夏之交，

有鴨羣在長林下，

一半罷水的渚上，

他們遊戲著——？——

如今春夏之交過去了，

我也

在天的星兒全熄了

償了一部時間的新賬，

鴨羣已不遊戲在水上了。

你　少　婦

李　金　髮

你少婦，

有修長的腰，

聽見這音樂，

何以眼兒濕了？

你少婦，

有磊翠的眉頤，

聽見這音樂

何以背兒僂了？

你少婦，

千萬人軍之長，

何以在夜候談心時

脣兒無心地聚合了？

80　　　　在天的星兒全熄了

你少婦,

詩人之筆的仇讐,

重來此地時

你定不是仇讐了?

偶然的 Home sick

李　金　髮

> 『L'homme n'est-il donc né
>
> que pour un coin de terre
>
> Poury lâtir son nid et
>
> poury vivre un jour?』
>
> A. de Musset

遠在天邊的故鄉，

往昔心房所愛之一角，

河流汨汨，

如少女臨岐洒淚之嗚咽，

渚後的黃沙，

爲浮鷗之金色世界。

惟我童年能享那昇平了。

但是，戀你的此地，「自然」旣不是慈母了，

82　　偶然的 Home sick

雪花僵冷人肌，

狂風欲掠毛髮西去，

天際遊行的日光，

很少露點微笑，

機械地每日監察一次，

從不解人心頭的需要；

縱花草齊立，

總以我為不速之客，

也斂收了香氣，

像怕人攀折枝條。

但是在你的懷抱裏，

「自然女」是我的褓母，

飄忽的溫愛，

於是能長大神奇的新氣！

流水呼哦地攻打我赤足，

濃蔭在薄氣裏休息，

鳥在枝頭唱午，

羊在牧場嘆氣，

斯時我正欲喚你的名兒。

平岡隱現欲奔的一線，

與浮雲挪揄人的兩眼，

至你相逢的笑，

與慈悲之眼淚，

引我思慕別離的清晨，

可是你沒給我珍重的話言。

願我們一天重見，

（千萬莫絞離衷，）

仍舊交付我

淺綠的平浦，

忠實的溪流，

低唱重逢之曲。

楊柳與槐無裙裾地

84   偶然的 Home sick

隨風喜躍，

月兒將怪我

性好飄流，

後還歸故土了。

可是我有話對他說：

你只要交付我

淺綠的平浦，

忠實的溪流，

似唱重逢之曲。

屠　蘇

星　二　顆

章　克　標

◎ 1　某夜的事情

　　心是紅的

　　血是紅的

　　太陽也是紅的

　　太陽落山之後

　　紅，到那裏去了？

　　天氣冷了

　　血也冷了

　　心也冷了

　　並非因爲冬天

　　也不關涉風夜。

86 星 二 頭

一杯 Bordeaux 呀

騙騙空心的肚子

呀！紅色液體啊！

接觸到紅的脣

浸潤了紅的舌。

是冷的！是甜的！

舌尖跳舞了，

不肯住的跳舞了，

紅的液體是血呢！

血海中舞跳者呀

這是心呀！

是復活了的心呀。

是紅的世界，

都是紅的，

一切都是紅的，

屠　　蘇　　87

火是紅的，

衣是紅的，

臉是紅的，

眼是紅的，

笑是紅的，

話是紅的，

手是紅的，

屑是紅的，

牙是紅的，

心是紅的。

都是紅的，

一切紅的，

人是紅的，

椅是紅的，

牆是紅的，

窗是紅的，

88　　星　一　顆

天是紅的，

星是紅的。

呀！紅色的星呀！

可是Antares?

冬天那會有他！

可是 A'debarean?

也不像是她！

妖星啊！紅色的妖星

告訴我，把你的名！

縱使你不是紅，

你却也是紅的，

血呀！像沸騰的水影，

心呀！像幽閉的罪人，

紅呀！紅呀！

被擲上的點點滴滴，

屠　蘇　89

地板上的淋淋漓漓，

我不曾發病

睛什麼醫生！

十三，十二，八日

◎ 2 　告 Sirius

狼！

我歡喜你，

天空的勇士，

大胆的壯漢，

你壓倒滿天星，

你睥睨全球人，

你的雄姿

引動一切的心

何以這樣强烈？你的光，

90　星　二　顆

可是要尋愛？你的情人，

可惜呀！

織女早已跟了牛郎去

七人姊妹都配不上你

縱使你照的天空如白日

也還是徒然無益。

但是可憐的猂呀！

你不要失望

你且耐心等着

須知你的好配偶

Spica 還未出世呢！

但是你也不要浸沈

在未來的歡樂中，

須知你與 Spica

相會就造成離別。

若要免出這苦惱

還是終身孤獨，

保持牢本來面目，

放出你的白熱光！

地上自會有人

被你引得哭！

十三，十二，九日

譯　詩　五　首

譚　震　明

我們倆分離的時節

拜崙原作

無言流淚

肝腸迸絕，

長別催人，

我們倆分離的時節。

你的頰兒青又冷，

你的脣兒更少溫熱，

眞個是這當時便已

預兆了悲哀的今日。

早晨的冷露

曾洒我額上冷冷，

我不禁涼意淒然，

屠　蘇　93

似感着今兒苦痛的預警。

你的信誓毀盡；

你的聲名飄零，

我聽人們道着你的名兒，

致我羞愧無門。

人們在我的面前呼你名

像葬鐘在我的耳邊哀鳴

我渾身兒起了一陣顫震，

為甚麼呀！你怎般兒上我心？

人們那知我和你相識曾經，

那知我和你相識又忒相親——

恨悠悠，我要恨你，

我訴不出無窮幽恨。

我們曾暗去明來——

我沉默地兀自傷悲

94　譯　詩　五　首

悲你會變了心兒，

悲你會把靈魂詐欺。

倘他年何處

得和你久別相逢

我當如何晤你？——

無言流淚。

一九二四，五，九，於東京

問　　　月 (to the moon)

雪萊原作

你容兒蒼白，可不是爲着勞疲——

爲着攀登太空，流瞰大地，

　　踽踽涼涼，獨自傍徨，

在那異族的群星裏，——

又終古悵然，似凝盤的秋波

閱盡滄桑的塵世？

一九二四，四，三十，東京

聽　樂

拜倫原作

（一）

豔色豈無雙，

　　神技如卿方稱獨；

爲我揚輕歌，

　　飄飄似聽蜃波樂；

妙音真悅愉，

幻海爲之寂茫茫，

浪平泛銀光，

風和入夢鄉。

（二）

又如夜半月溶溶，

　　海底千尋織白練，

寥胸微呼吸，

　　靜似嬰兒眠：

吾靈伏汝前，

96　　譯詩五首

傾聽復再拜；

情蕩兮渺然，

宛如夏日海濤之澎湃。

　　　　　　　　一九二四，四，二二，譯於東京

愛 之 哲 理
雪萊原作

山泉合江河，

江河合蒼海；

天風挾素心，

融洽長存在；

無獨而有偶，

眞理之必然，

萬物互一體，

汝我何不然？

君不見海波起伏其摟抱，

雲山高高吻蒼昊；

亭亭姉妹花，

不許欺仝胞；

又不見紅日曈曈擁地平，

　　明月姣姣親海脣——

苟汝不我吻

此等親好何足論？

一九一四，四，一八〇東京

失　　　戀 一名盧妹(Lucy)

華茨華士原作

僻壤有淑女，

幽居涂源畔，

既少知音者，

復罕人眷戀。

碧菫傍苔砌，

幽姿半隱現；

麗如一孤星，

天空獨燦爛。

∞　　譯　詩　五　首

生旣無人知，

死又博誰憐，

吁嗟盧姝逝，

使予獨憫然！

一九二四，四，二三。東京

漫　話

方　光　燾

（序子愷漫畫）

　　子愷！我們相識算來還不滿二年。這二年間，受着更大意志的支配，我們各各似浮萍地東飄西泊着；總沒有常聚的機緣。今年立達創辦，運命却又把我們拉攏在一起，使我們比隣而居，得享那朝夕過從的歡樂。當我們興來時，冒着濛濛微雨，跑到江灣，沽酒囘來痛飲；溽暑難受時，卽在夜間，也要同步到天狗堂吃一杯刨冰。風雨淒其的苦夜，清風明月的良宵，也各各隨着我們的興致，對月呀，煮茗呀，喝酒呀，閒談呀；我們深悟得聚散無常的至理，斷不肯讓時光輕易地逃過去的。子愷！這些瑣瑣細事，說來原也沒有什麼珍奇，更無足貴！但試想幾月之後抑或幾年之後，我們人居兩地，天各一方的日子，那時這一件件些細無聊的常事，怕都要成爲我們的可珍可貴的相思資料罷！

110　　漫　　話

　　這幾月來的歡聚，在我們乾枯無味的粉筆黑板生涯中，總算得了不少的歡樂和慰安。但是子愷，我每見你的時節，覺得你總有一種「說不出」(Never speak out)的神情。悲哀憤怒時，你不過縐一縐眉頭；快樂歡愉時，也不過開一開唇齒。你終於是「說不出」「不說出」的罷！像這樣好胡言妄論的我，對你的沉默的印象，自然更深深地刻在我的腦際！就自私一面說，我每感到不能和你暢談的遺憾；但一反省，却又起了許多無名的不安！

　　記得去年春上，我忙裏偷閒地，到白馬湖來，過了一夜。子愷！怕這就是我和你最初相見的一日罷。丏尊先生當夜備了酒和菜，邀你我在他那小小院子裏小飲；我和丏尊先生滔滔地閒談着。你却悶悶地喝着酒，默默地聽着我們。後來你也問了我一句「怎樣地敎授外國語？」那時我剛出校門，懂得什麽；但也因你開了我的話匣，便也嘵嘵不休地，向你說了許多不關痛癢的話。回想起來，我那時眞不知給你的是慰安，抑是失望。

　　記得今年夏天，在黃家闕的時節，我正要和幾位友

人，動身到興茹去訪一位相別十年的舊友；恰巧你剛從理髮舖回來，我見你那短短的髮，光光的臉，便和你打趣了一聲：「子愷！你今天至少小了五歲。」你對我笑了一笑，抓抓新剪過的頭髮，終於回答不出什麼來。子愷！回想起來，那日眞不知給你的是痛苦，還是歡樂！

記得有一天丏尊先生從甯波來，我們沽酒備菜，留他共膳，喝酒閒談着，不知不覺地已到了十二點半鐘！丏尊先生和我，都爲着午後有課，不敢盡情痛飲。所有壺中的剩酒，子愷！你便告了個奮勇，默默地一杯一杯喝個乾淨！一點鐘到了！我和丏尊先生都要離開你，到學校去。你抱着華瞻，在室中踱來踱去，把發光的醉眼看着我們走，含笑帶怒地一言不發，看着我們！子愷！我不明白你那時所感到的是悲哀，抑是歡樂，更不明白這悲哀，歡樂是我們給你的呢！抑或是比我們更大的一位，給你的呢！

子愷！像這類的事，眞是寫也寫不完的！總之你是「不說出」「說不出」的一個孤獨者罷！熱情燃燒着，悲哀縈繞着，你是不能說，也不願說的。你喜歡的是沉浸在那悲哀

102　　漫　　話

和熱情的裏面罷！當我們興高采烈，喝着老酒，忽然華瞻醒了，要你抱他，你縱然是不願意，你却「說不出」什麼，還得去抱着他，歌唱給他聽罷！當你的阿寶，被人家的脚踏車，撞得頭破血流，你縱然氣得筋脈奮張，但你也「說不出」什麼，只有撫摸她，慰藉她罷！

　子愷！這「不說出」「說不出」的神情，怕是你有生以來具有的罷！我願牠始終伴着你，你別咀咒牠；牠眞是一切藝術淵泉！子愷！你還記得麼？有一天的晚上你的夫人，你的孩子不是都離開你，到上海去了麼？在那月明的半夜，我宿酒初醒的臥在榻上，戀人的明月正照在窗前，我原想到你那裏閒談，消此長夜；但細聽一聽：你那低低的吟唔聲！伸紙聲！研墨聲！我閒談的勇氣，都消失了！我也被你浸在那沉默的當中了！子愷！這「說不出」「不說出」的沈默，眞是你的藝術（假如你的畫，是藝術）的核心罷！子愷！你別厭棄牠，去愛牠，撫育牠，和牠相終始罷！

　子愷！在這充滿了所謂「畫家」「藝術家」「藝術的叛徒」的中國，你何必把那吃飯的錢省節下來，去調丹青，買

畫布，和他們去爭一日之長呢！你只要在那「說不出」的當兒，展開桌上的廢紙，握着手中的禿筆，去畫罷，畫出你那「說不出」的熱情和哀樂，使你朋友見了，可得歡樂，使你夫人見了，可以開懷，使你的阿寶見了，可以臨摹，使你的華瞻見了，可以大笑！那就是你的藝術；也就是你的藝術生活！又何須我多說！

一九二五，一一，六。

吹 灰 錄

張 水 淇

Ⅰ 種種至上

藝術家立於象牙塔中，唱：『藝術至上。』熱情熱血的青年，携了戀人的手，說：『戀愛至上。』運動家握了圓盤叫：『運動至上。』文藝家執了破筆，喊：『文藝至上。』音樂家挾了提琴歌：『音樂至上。』殺人的兵士捐了衞國衞民的招牌，呼：『兵士至上。』愛酒的說酒至上。愛花的說：『花至上。』吸煙的說煙至上，賣棺材的說：棺材人人必要，『棺材至上。』道德家說：道德不可須臾離，『道德至上。』宗教家說：宗教不可片刻缺，『宗教至上。』科學家說：人生不可一日無科學，『科學至上。』醫學家說：人世不能無病，『醫學至上。』教育家立在教壇說：『教育至上。』法律家坐在法廷說：『法律至上。』共和國民說：『共和至上。』有皇帝的國民說：『皇帝至上。』和尚說：『菩薩至上。』道士說：『老君至上。』多烘先生說：『孔子至上。』回子說：『摩哈默德至上。』

信徒說：『耶穌基督至上。』張生說：『鶯鶯至上。』寶玉說：
『黛玉至上。』守錢奴說：『金錢至上。』遊蕩子說：『女子至
上。』一種人說一種至上，在共業的人說其業至上，他就可
驕於人，嗜好其愛物的人說其愛物至上，也就可驕於人。
且他的業他的愛物佔了至上的地位，他就可佔有至上的
利益，所以他們不惜大聲高叫的說：至上！至上！世界上就
只聞着怎麼至上，怎麼至上。論到用途　那末世界上存在
的種種無不與人生有密切的關係，無不爲人生所需要的。
假使那一種是與人生毫無關係，那末經了時代的篩濾，早
就消滅　不能存在於世界。其能存在於世界的　必定於人
生上有某種用處，因爲種種存在物都是爲人生而生的，有
了人生，總有種種，人生沒亡，一切無有。死是不與生同一
世界的，生的世界上種種，死的世界上都無有。我所說的
人生，包括理想與現實，我所說的用處，包括靈與肉；或用
於靈魂，或用於肉體，終不能脫離人生；或爲理想，或爲現
實，終難去却人生。一切事物既對於人生各有用處，那末
不能說那一種是至下，那一種是至上，那一種是優，那一

種是劣,所以種種至上,都是平等。如硬說一種是至上,是坐在井中看了天,硬說天只有那麼大,不曉他在井上所見得的天外,尚有無限廣,無限闊的天存在。只主張一種至上,就不知道宇宙之間尚有無數的至上。但是天只有一片,無限的至上只爲一個人生。

II 生 和 苦

Tennyson 曰

    Live-yet live-

Shall sharpest pathos blight us, knowing all

Life needs for life is possible to will

    Live happy.

    生呀!還生呀! 知了生爲生而要的一切,在意志是可能,酷烈的苦惱那能害我,快活的生呀!

    我人的生,是爲生而要的,一切的苦惱也是生中的一部分,因爲生是苦樂合成的,我們生一日,即不能獨占一部分的樂,要獨有樂的人,是不知生的全態的人, 苦也是

生之一部分，也是爲生而要的，我們不可不深味苦，深嘗苦；牛馬每日的供驅使，馴了後就不覺勞苦，苦深味過後，也就沒有苦。我人要於苦中克服苦，我們要吃了苦不覺苦，吃了苦不覺，那苦就不能害我，我就勝了苦；見了苦怖慄，恐怖，畏縮不前，那苦就得意了。小人粧鬼臉，目的在使人怕，人不怕他就縮頭去。一切的苦壓迫我，我不怕，也就沒有苦，怕苦的人呀！請你消滅了懦怯，生起了勇氣，浸入苦海的中央，鍛鍊你的精神和肉體，孫行者不入老君爐不能得金剛不壞身。你要得金剛不壞身須去跳入苦的老君爐，青年呀！快去深嘗苦！

III　　汝其知自己

Apollon　神的面前刻的　『汝其知自己』 gnothi seantón $\gamma\nu\omega\theta\iota$ $\sigma\epsilon\chi\tau\acute{o}\nu$　是答Sphigx的謎語的答。希臘的所有的文學，藝術都是照了這個命令的。Homeros, Pindaros, Askhulos, Sophokles等都以豁達，無偏曲的觀察，映照人間生活。吾的等藝術不可不於自己的生命中求之，我等所當行的道，

不可不由自己求之，自己行之，自己規定之。我人的藝術，

是表現我人自己的東西，我人的道德，是行履我人自己意

志的規準，我人的科學是呈示我人自己的觀察的東西；我

人的歷史是記載我人自己的記錄。是故一切學，一切知，

始於知自己，亦終於知自己。

IV　　人是萬物之尺度

人是萬物之尺度　　Pánton　chrematon　metron
$\pi\chi_{\gamma\tau\omega\gamma}$　$\chi\rho_{\eta}\mu\chi_{\tau\omega\gamma}$　$\mu_{\epsilon\tau}\rho_{\omega\gamma}$

ánthropos
$\chi_{\gamma}\theta\rho_{o\pi o s}$　的一句語，是 Protagoras 所說的，我們人造

了許多眞理，自以爲千眞萬眞而確信之，其實這種眞理都

不失爲人自己的尺度。

V　　知之故信之

Credo　quia　intelligo　知之故信之的一句，是

Scholastic philosopher 研究哲學的精神。其實信的中間

必有不知的，所以有　non cognoscamus ut. credimus

(不知故信)的語，更有Credo quita absurdum（因背理故

信之）的話，實在說起來，太知了就不信，太信了就不知。

VI　言語的翻譯

言語不像貨幣，有能兌換的價值。科學上的術語，國際的匯兌是可能的，其所負的觀念，不染情緒，不有聯想，由這國通至那國，是可以的，各民族可以用相同的形式精密表現之，立方根$\sqrt[3]{}$的觀念，不論在黃色的中國人，白色的英國人，都是相同。然文學的言語，全是兩樣的；因言語生根於國民的生活的土壤中，由民族的歷史培養之，其周圍更加集一時代一時代的思想，其所表現知的情調及過程，道德的感情，宗教的熱望的抽象語的，更難翻譯。文學中的詩更不能翻譯，勉強翻譯，妙味至少要少去一半。

VII　甘　言

Cowper曰Never hear the sweet music of spèech
甘言蜜語最易動人，也最易傷人，我人對於甘言蜜語不可不深防之。

110　　吹　灰　錄

VIII　言之方法

Anon 曰 If you your lips would keep from slips,

　　Five things observe with care

To whom you speak, of whom you speak,

　　And how, and when, and where.

言之當留意者，可謂盡於此矣。

IX　政治家

Pope 曰

　　Stateman, yet friend to truth! of soul　sincere,

　　In action faithful,　and in honour clear;

　　Who froke no promise, served no private　end,

　　Who gained no title, and who lost no friend

正直、無僞，重然諾，大公，無私，輕功利是政治家該守的道德。我國現在所有的政治家，可說是沒有一個能夠這樣的，他們爲了自己的利益，借了很大的名義；犧牲無

數的人民，破毀無數的人積幾世的心血造成的社會財。他們為了他自己的一些私仇，拿了刀劍，壓迫柔弱的，善良的人民，獻出血汗積成的物資，拿來造購破壞他們的物資殺毀他們的可怕的武器，作沒有意義的戰爭，毀滅出錢的人的家屋財產。須知人民的家屋財產是社會所有的財，一人失了家產，社會就增一失屋之人，社會上就起一失屋之問題；一人變為貧窮，社會逐多一貧人，要社會去給他設法，社會就多不安的機會。善良的政治家其能事就在安定社會，使社會甯靜富裕。我國的政治家却每日興風鼓浪，拼命使社會起不安的現象，拼命使社會一天一天的窮下去。他們只想放火使他們可趁火打刼，他們都是趁火打刼的強盜。他們的言語，朝三暮四，幾乎沒有一句不是扯謊，他們的打算，只有自己，那有人民？那有國家？ 正義誠實是在他們的世界外的道德。他們所抱的道德只有狡詐虛僞，他們所望的只有黃金權力。他們雖有時也皈依宗敎，信神，信佛。 但他們的信佛信神，是想由神佛消滅他們的罪惡。他們想靠了些些的信仰減消他們彌天的大惡。

112　　吹灰錄

不知他們罪惡如不自己改惡爲善，爲行爲之懺悔，他們永不能得涅槃，永不能入天堂。因爲他們所行的，所願望的，都是惡魔所有，都是神佛所惡的。地獄之設，正爲此輩。他們不作行爲上的懺悔時，他們永不得超脫。他們就是皈依宗教也無益處，不但對自己無益，對於他所信的宗教，反因之受着惡名，惡魔是到處要害人的。

　　這樣的惡魔樣的政治家，把我莊嚴，燦爛，光明，壯麗的國家鬧得天翻地覆，陰沉黑暗。人民每日像坐在火裏水裏，而人民還咬着牙齒忍耐着，我不能不感佩我國民的溫柔，軟弱。國民呀！國民呀！惡魔是要拿力來與他戰的！你要出你勇氣，和他拚命的戰！你讓一步，他就進一步。國民！你見了惡魔，切勿有一些讓步！你想妥協苟全，你須盡獻你所有而後已。國民呀！你的精血不是給惡魔吸收完了麼！你還不出你勇氣起來抗鬪！消除惡魔，只有勇氣。你快起來！你快起來！你再不起來，你的骨頭也要都給惡魔吃了！你的懦怯不可不快快改去，再要懦怯只靜待着作惡魔的食肉。

X　俗　人

Buchanan 曰

I hate the vulgar popular cattle

意氣不相投的庸俗人，確是可厭的東西。我們所有的極美，極好的事物，往往給那可厭的庸俗人毀去。故國家不可不努力的敎養庸俗人。凡無敎養的庸俗人多的國家，決難有良政治。我願世人一方自己努力不爲庸俗人，他方努力使他人不爲庸俗人。

XI　婦女之淚

Beanmont and Fletcher 曰

A lady's tears are silent orators.

William Blake 曰

For a tear is an intellectual thing;

And a sign is the sword of an angel-king

淚在婦女，是一征服人的武器，我見了婦女的淚，我就無勇氣，我就無條件的屈服。

XII　學者與乖巧

英諺有曰

A mere scholar is a mere ass.

The greatest clerk be not the wisest man

　　學者一定是積學而成的，他一心一志的研究他所專究的東西，在常人看起來，就好像一個傻子，因為他除他所專究的東西外，一切不顧，常人所注意的一些也不留意，所以無知的人，就以為他是傻子，瘋子；并且學者的眼光往往望到將來，往往看到幾十年幾百年的時代，而固執現代的人，也就認他狂人了。學者的所說，超越常人，學者所行，也超越常人，常人就以為異了，以為狂人了。住熱帶的黑人，見了白雪就以為奇怪的東西。無知的庸人，見了超越他們的人，就以為狂了。我們要是想做學者，我們決不能做見悅俗人，取媚庸夫的乖巧人。我們當做最傻的人；傻氣的人，是有理性的。認有理性的傻氣為傻的，總是傻子。真珠在豕犬沒有價值，學問在庸俗人也沒有價值，

　　我願望世界天天加多學問的傻子，減少浮沉於濁世的乖巧人，我願青年不作那種乖巧人，作那種傻子。

XIII　愛　和　償

Love and debt

There's one request I make to Him
　　Whh sits the clouds above!
That I were fairly out of debt,
　　As I am out of love,

　　······ ·············· ···············

Then for to dance, to drink, and sing,
　　I should be very willing;
I should not owe one lass a kiss,
　　Nor any rogue one shilling
'Tis only being in love, or debt,
　　That robs us of our rest
And he that is quite out of both,
　　Of all the world is blest

116　吹煙餘

He sees the golden age, whereim

　　All things were free and common;

He eats, he drinks, he takes his rest-

　　And fears nor mon woman

　　　　　　　　John Suckling

　　大意：「坐在雲上的人，我有一事向他求！我脫離愛，
就還償了債。

　　然後去跳舞，喝酒，唱歌兒；我就狠快活，我不負一少
女一親吻，也不欠一浪子一先令。

　　奪去我安甯的只有愛與債。他全沒有了這兩件，所有
的世界就安樂，

　　在那裏他看見黃金時代所有的東西，自由而平常，他
吃，他喝，他得安甯，——不怕丈夫，也不怕女子。」

　　愛在我人的確是一種債，張生說鶯鶯是可憎娘兒。所
以如是者因愛人是債主，為了債主費多大的努力，積蓄貲
財，求清償。為了愛人，丟全身的精力，博愛人的一憐，愛
人在世的一日，負的債一日不清，我們對於債主清了債，

就無關係。對於愛人在求他愛而愛他的時候，終不能不準備了全身爲他的犧牲，爲他作馬牛，不能不供獻所有，任他處置，不能不應他所有的要求。所以有了愛，就有債；有了債，成債主的奴隸；有了愛，成愛人的奴隸。所以愛人是五百年前的冤魂。我見了許多爲愛顚倒的人，我味了愛的無限的酸苦，讀了這詩不能不發這些話。

　　但是天下能安慰人，愉快人，陶醉人的也只有愛，我們沒有了愛，就成了枯木，枯木不生芽，生芽就是木的負擔，所以我們要有生氣，不能不有愛，不能不負擔愛的債。我們如欲徹底抱個人的享樂主義作一個枯木，做一堆死灰，那末就可沒有愛，一切丟掉，一切無有。如要立於世界，做一個社會人，成一個有生氣的東西，不能不有愛。青年呀！你們須互相愛，須互相負人家的債。

　　愛了人，他的運命就負在雙肩。肩上一個人的運命，本不是容易事，也不是愉快事。但天下的愉快事莫如有人肯置他的運命於我肩上。這是事實上的 Paradox.

　　愛不是要得着，是要被奪。有了愛人，不是我得着愛人，是我被愛人奪去。愛不是要佔有，是要供獻是要犧牲。

118　碎金錄

碎 金 錄

先 樂

先樂子道：我的知心朋友當中，老成人居多——在美國有賀爾墨斯年八十五，在德國有舒丹墨萊年七十，在中國有張孟劬年亦六十將近。這是一個很希奇現象！有一個靑年朋友對我說：『這個亦沒有什麼希奇。因爲你是個少年老成。』我說『你老先生又錯了！緣故不在我是個少年老成；而在他們是老成少年！一般人不到二十歲已經老了！他們的「閱歷」太多了！人情「世故」太熟悉了！這些人不配求眞理；祇配在生存競爭上做工夫。像我那幾位朋友，才算小孩子！我也是個小孩子！小孩子祇可同小孩子玩耍，那裏够得上和你們老成人來談正經呢？』

先樂子道：孔夫子這個人，有可愛的地方，也有可笑的地方。可愛的是關於他的内心脩養，他的好學的精神，他的小孩子式的自大，他的老婆婆式的同情。可笑的地方

屠　蘇　119

就是他的貴族式的禮節。什麼割不正不食，不得其醬不食；什麼食不語，寢不言；什麼恂恂如也，鞠躬如也；這些話我就辦不到！

先樂子道：莊子爲我國最大的哲學家。齊物篇是近世相對論之先導！羅素對他五體投地，眞是莊子的知己。哲學家最忌是擬人論以人事解說宇宙。莊子的最大貢獻就是打破擬人論，——他最不贊成將主觀的善惡觀念當作天經地義一成不變的東西。我的朋友唐腴廬有次對我說：『莊子的特色是擬人論。』以腴廬這樣聰明的人說出這句話來，實在奇怪！或者這句話是對着莊子的文體而發的嗎？

先樂子道：余和徐靜安邂逅相逢，一見如故。靜安爲注學專家，而對於文學興致却又很濃；也是注學界中的一個古董。

先樂子道：最深的眞理，往往在文學中遇見。因爲最

120　　　碎　金　錄

深的真理不但滿足我們的理知，而且也能滿足我們的情感。

　　先樂子道：許多妙想，不可強致，須合天機，方才油然而來。那天若渠與水淇在我處談天甚快。於是若渠想撰一聯送我。上聯道：『無法之法斯為上法』，想了半天，下聯想不出來。忽而水淇大聲叫道『有了有了！「不真而真乃是至真。」』

　　先樂子道：我的青年朋友之中，有二位很可愛的，一個是狂，一個是狷。狂是劉海粟，狷是張昌伯。大藝術家非狂不可；清檢察官非狷不可。

　　先樂子道：孫益莽著「書唐以前法律思想發展後」一篇，將我大罵而特罵；可是我並沒有生氣，因為我最愛有主張的人──有主張的人總是有人格的。益莽是個名學家；擅長分類之學。他的方法很精，而主張太陋。名學祇能與人規矩，不能使人巧，於此可見。

文明結合的犧牲者

章　克　標

　　程心甫住在中央腦病院，已經近乎三個月了。病狀的經過，總算良好，劇烈的發作漸次減少，而且發作的強度，也漸趨溫和了。呆滯的兩眼也帶一點活氣了，不過那一種淒愴的光芒，却未能完全消失。日常的會話，也能夠不致錯亂了。幾個親近朋友的面貌，也能辨認清楚了。朋友們大家贊同送他囘國的卽時實行，因爲這樣可以早一天卸脫他們的負擔，這並不能說是他們對於責任的推諉，只要想他們都是在學生時代，不能把多大的時間爲了朋友而犧牲的，况且自從程發狂以來，在金錢上事務上的交涉，他們已經受累得夠了，他們因爲爲了朋友二字之故，有的事情就不能推却不辦，這就是留住在海外的苦况，倘使在國內，就早可以說非親非故，與我何涉，而走開了。病人所帶累的朋友，尚且有說不盡的苦况，在病者當人的難堪，更不必說了。幸而我們這一位程君是腦病，所以種種感

122 　文明結合的犧牲者

覺，和正常的人不同，那麼他或者不覺有什麼苦痛了；而且他還有絕大的理由：可以無視苦痛，因為引起他腦病的，便是他身心上一件最大的苦痛事件，他已經經驗過了這樣的事件，那麼其他的苦痛，在他身心上實在不能說是苦痛，不過苦痛總還是苦痛，否則何以他的朋友所分到的都是苦痛呢。

　　大概和他最親密的，分到苦痛的分量，便是最多。那李式明便是苦痛分量最多的分受者了。當程進院的那一天，保羅博士就說，至少過了一個月，方能旅行，要病勢的全好，至少要有三年的靜養，並且從此以後，只能和廢人一樣，只吃飯不做事，學業方面不必說了。經了醫生這一種宣告之後，朋友除了怨恨造物嫉妬賢才而外，有的說他平日太用功了，有的說他過於痴情了，有的說他的命運不好。最多者原是空口說白話的人。李式明覺得自己有伴送他回國的責任，他正是畢了業受了ＰＫ工業大學的招聘，要歸國的當兒，就把他的行期延擱起來，決計等程能夠行動時同行，他是卒業了的，比較是可以自由的身體，所以

有不能不爲了朋友盡力的一種自覺，他受了這一點德義
心之賜，以至多化了幾百元的金錢，對於工大催促到校的
電報，又免不得敷衍了幾句假話，牽延了三個月，主治的
醫生才允許程的退院，並且說不妨有長途的旅行，這時他
方能從病院裏把那個難以服侍的行李擡上向西去的車子
中。

　　在支加谷的車站嘗了別雛的滋味，對於來送別朋友
們的惜別之情，對於熟羅的地土市街建築的一點戀戀之
意，充滿了式明的心中，但是還有一種奇妙的關味料，作
用到他的心上，就是聽到人說情海中的溺者，被女子所棄
去的可憐虫，分明是對於程的譏笑，他覺得這許多人不是
來送別而是爲了滿足好奇心來看狂人的。那狂人却正小
試狂態，大聲呼道：

　　「這車是開到地獄去的！快上去！大家趁到極樂的
地獄去！地獄裏去！」

　　黃色人種的黃色聲音，惹得周圍的碧眼兒注視了，李
只得急急伴了程到了定好的車室中，車子不久也就開了，

134　　文明結合的犧牲者

攜帶病人，實在比帶笨重的行李還要費事，行李只要給了他一個適當的位置就夠了，病人却要顧算到他的飲食及其他瑣碎的事項，到舊金山上了輪船以後，李方始能呼了一口歇息的長氣。在船上幸得自船長乘客以至侍者，都因為程是病身而特別照顧他，李也因此感到了一點愉快 但是他心中又起了何以同情反是從素來輕蔑黃色人種的美國人中得到，而在萬里之外的同胞，却反以譏諷相贈的一種不可解釋的疑問，他也沒有去推究解決這一個疑問的餘裕，因為程的呼聲，

「地獄裏去！」

仍不住的發射，他也免不得要分担程心壞上的幾分苦痛，還聽得程說：

「這是輪船了！快沉到海底去！到海龍王那處去！」

種種咀咒的迸發，對於世間人類社會的詈罵，沒有一句不使他沈思的，沈思的結果只不過分了程的心底所有感情的幾分，他有時感動了幾乎下淚，連忙轉面向外看海，却早被程看見了，又笑說：

「孩子不要哭，明天買糖給你吃！」

他聽這一句無邪氣的話，又耐不住笑起來了，自然這笑當中含有極深切的悲慘！悲慘極度的表現，就是一種哭不出的笑。

在航海中，只希望有風浪，因有了浪，船顛，人就要想在牀上橫倒，或者腦筋也因此而能糊塗一點，把他面前的一幅悲慘的場面忘却，但這不過是偶然逢着的好機會，他不能不天天和程談天說笑，解他的悶氣，問飲問食，注意他的起居，這都是他的德義心的厚賜，他永不敢推辭的，在航海中的碇泊地，如同檀香山日本等處因為程不願意上陸遊玩，所以他也不登岸觀光了，太平洋中總是太平的，他們平平安安到了目的地的上海。

上海的面目，在式明眼中與五年灑了別淚的時光沒有什麼兩樣，仍舊是暮氣沈沈，沒有一點新興的氣色，振作的景象，就是他們所住的 T 旅社，也仍是五年前的舊觀。他把程在旅舍中安頓好了之後，就出去訪幾個久別的朋友，再便路看看市中的光景。等到他回來時，茶房對他

126　文明結合的犧牲者

說，程已經等候他多時了，不知問了多少囘數的他可已經歸來，他心中以爲程或者有什麼緊要的話，所以就過去，在門上打了兩下，沒有答應，他不顧什麼，就推門進去，看見程正瞪了眼睛，呆呆看着靠窗的桌傍那座沙發，彷彿沒有見他一般，隔了一刻忽然說道：

「你終究囘來了麼？」

「是的我此刻才囘來，你可有什麼事？」

這一句話的囘答似乎使程受了一點意外之感，以致他再三再四對式明周詳審視之後，忽然從椅子上立起來說道：

「是了，此地不是旅社的三九號麼？這地方我不願意住的，你快替我設法換別一個地方！」

這一項要求使得李難以應付了，他想除了此地又沒有什麼地方可住，又不懂程何故忽然起了這一種的意思，只能安慰他道：

「好了，將就一點罷，過了一二天就可以離開此地的，我已經打了電報到你家中，叫派人來接你了。」

「誰要他們來！我沒有家的！家裏的人都死盡死絕
了！我也要死了！這房間是不能住的。」

無論式明如何勸導說諭，他總固執他的主張，不肯讓
步，後來式明就想了一個法子，把自己的房間與他對換
了，帶了他在市街上的電燈光下徘徊了一刻，引他到了自
己的房間中，說：

「那麼你住此地罷，離開先前是很遠的了。」

相信了這一句話，程答允了，其實他所不願意住的三
九號，與此室不過隔了一重壁，這樣安頓了程之後，李還
得在上海滯留了三日，等程家中來人，照料程歸家之後，
他也就轉路到北京執職去了。

三　年　之　後

李式明受了學校中的委託，到上海來接洽一件事情，
却不道來了不能回去了，因為江蘇浙江的軍人忽然翻了
臉，開起要不得的玩笑來，滬甯車不通行了，而且又有海
軍攻吳淞的消息，一時之間，輪船也不敢開行，所以他北

128　文明結合的犧牲者

歸的路、完全斷絕了，他擱淺在上海，已經過了一禮拜，真無聊極了。這一天也是照常在市街上放步散心，看見來來往往的男女，都是很忙碌的樣子，其實他很知道他們是和他一樣沒有事情的，他們的忙是真正的無事忙。在這車如流水馬如龍人頭如潮湧的街路上，遠遠的一個人，惹起他的注意了，這除了那人的出奇的裝束——其實很平凡的，不過穿了西裝，而頭上戴了一頂僧帽——之外，還有別的緣故，走近時，他明白他的眼力沒有錯那個人正是他的朋友程心甫，別了三年毫無消息，發了狂的朋友，現在像已經好了，看他一個人在路上走，也不能發見他有異乎尋常的特別地方。他向他招呼了一聲，程也立刻就認識他，走近來和他談了好多話，李方才知道他是怕戰事的波及，是到上海來避難的，程一定要邀李到他的寓處去，李也不推却，就和他一同走去。

　　這便使李生起一點驚異了，因為程的寓所，不是別處，就他三年前所一到也不願住的 T 旅社的三九號，這樣，引起了舊事，又在腦中映寫了一遍，并且三年來他在

北京所得的關於此事的風聞，也在心中展開了，不覺對程
�

目看了一回，　覺得他更加憔悴了。程懇他今晚不要歸
去，留他作長談，他也首肯了，二人雜談起來，從最卑近的
這一囘戰爭突發的批評開始，只談了不多幾句話，程忽地
立了起來，走到房門外，大聲的呼喚茶役，到了一個人，他
就問那張沙發爲什麼移開了，指着了窗口桌傍的地點，他
也不等待那茶役說明移去的理由，說話從口中跳一樣的
飛奔出來。

　　「那不行！去拿原物來放在原處！這室內別的東西
都可以移動，那張沙發却一動也不許動的。」

　　他聲色俱厲的話，茶役諾諾連聲而退，去搬了那沙發
仍放在原處了。他監督這件工事完結之後，才轉身對李
說，那沙發是青蘅曾經坐過的，所以他對於那個位置，有
無窮的趣味，他上船的前一晚，青蘅來送別他，就在這沙
發上到天亮的，他們說了一夜的話，一點也不覺得疲倦，
他們互相誓約愛情的永久他還以他們的純潔的愛自誇。

　　陳青蘅就是後來別嫁了的女子，也就是他的忠實的

130　　文明結合的犧牲者

婚約妻，因為實在是程先寫了一封絕交的信給她之後，她才同別人結婚的，雖則她結婚的結果，使程身體上起了一點小小的變化，而輟學歸國的，但是現在程一點沒有恨陳薄情的意思，因為他想她不過聽從了他那最後一信的勸告罷了。李聽了他這一番話，心中很覺不爽快，但是也不願意多說，使得程難堪，所以他轉了話頭。

「你的病倒完全好了。」

「自然，現在一點什麼病都沒有。」

「你幾時好的？」

「囘來之後不久就好的，這都是祖師菩薩的靈感，我的性命，可以說完全是祖師所賜的。」

「那祖師是誰呢？」

「啊！你不知道麼？那是濟顛祖師，濟顛祖師，他真是靈不過的活佛菩薩，去年他就說此地要有戰事，今年果然如此，別人說什麼迷信迷信，菩薩到底是真有真有的，他一切都知曉的。我母親最相信菩薩，她問菩薩說我的病會好的麼，祖師也說就會好的，你看我果然好了。」

「那麼這菩薩真靈感極了，你胡不問問你將來的身世
存。」

「怎說不問，他說我將來會做大官，老實再對你說，青
蘋再過幾年仍還是我的妻，現在這一種分離，是我們命運
中注定的數，這是菩薩說的。」

「恭喜——那好極了。」

口上雖是這樣說，李的心中却忍受了說不出的苦味，
而他的輶悄的性質，時時想反抗理智的抑制，支配說話的
權柄。

「青蘋的結婚，不是已經三年了麼，那麼我還得等待
四年，菩薩說我們要有七年的分離，我很懊悔不早幾年寫
一封絕交信，那麼她可以早嫁人，七年的期限也可以早
到。」

李再也忍耐不住了。

「你真信這些夢話麼?」

「什麼!罪過罪過!你真個連菩薩的話都不相信麼?那
麼什麼是可以使你相信得過的?」

132　文明結合的犧牲者

「這且不管，我問你，你可記得你是爲什麼而寫絕交信給陳青蘋的？」

「這却忘了，大概是一時之間心中感到不滿足的緣故罷。」

「這都會忘却的，那麼我提醒你罷，可不是爲了接到了一封信，說青蘋在北京的行爲很不端麼，那時你就怒不可遏，我們多人勸你再仔細探聽，你也不聽，就寄出了那封絕交信的。」

「是這樣的麼？我却忘了……是的，彷彿是這樣的。」

「你可記得那信從什麼地方寄來的？」

「那也忘却了。」

「爽性都對你說罷，這是不具名的，郵局的印戳是北京，所以我們都推想這是從北京寄來的。」

「啊！這樣的麼？」

「再問你，你可知道青蘋所嫁的是什麼人？」

「這自然知道的了，是一個商人，開銀行的富商，不錯，你們教授先生因爲薪水領不到很窮困，我可以把青蘋

介紹你向她丈夫借錢好麼?」

「眞是夢話!」

「什麼!這是菩薩說的,而且他們二人的結婚,是我的伯父做媒的,大概那個富商不久要死了,所以青萩能再歸於我,你若借了錢,也許可以永不歸還的,不是一件很有趣的事情麼。」

「你的夢做得太玄妙了,那麼我就明明白白對你說破了罷,青萩嫁的人叫做唐步雍,是PK大學的教授,不是什麼銀行家富商,我不知和他們面會過好多次了,你可以不必懷疑的。」

「這不對!我伯父的媒人難道是假的,菩薩的話難道不能相信麼?」

「你還不悟麼?再對你說明白一點罷,在你的絕交信之前,他們二人之間或者也已有一種了解的。」

「那我便不信,這是不會有的。」

「你不知道就是了,陳青萩在北京女子學院時,唐步雍也兼當該校的教師,他們是這樣認識的,而且那寫信給你

說青薇壞話的，或者就是唐步雍，倘使他們二人沒有諒解，你的通訊地點怎的會被素不相識的人知道的呢。」

「照這樣說來，那個教授眞禽獸之不如了，我是中了他們的奸計，成就了他們的好事了。」

「也不必罵他們，這是所謂文明的結合，現時很流行的一種結合樣式毫不足怪的，至於他們以前有沒有諒解，可不能確定，或者因爲唐步雍不能得手，所以用了這一種非常手段，絕了青薇一方之望，方才慾然進行而成功的，也說不定，我不敢臆猜。」

「你的話我便不能相信，若說青薇和他先有關係，可是青薇給我的信，從沒有變更她的態度，這是不能相信，若說後來青薇落了他的圈套，我不能承認青薇是這樣愚笨淺薄的。」

你眞還是小孩子，對於社會上的事情，便一點也不明白的，說痛快一點，女子便是虛榮的結晶，難道她不顧意做堂堂教授夫人，而終生死守你這·位苦留學生麼，況且還有微妙的生理上的要求，也含有絕大勢力的，你出洋

之後，她沒有談話的伴侶了，沒有人和她接吻了，沒有人和她抱擁了，曾經嘗過戀愛滋味的人斷不是能由空空的幾紙情書所能解渴的；況且你的信未必能寫得好，而且最後還寄了絕交的信，你想她不是要渴死麼？在渴不可耐的時候忽然供獻了他一杯茶水，不是糖湯，是甘泉，你想她有推却的能力麼？即使我們承認青蘋的品性比別的女子強，但是你想唐步雍的熱烈的戀愛，不是總能够打動她的心麼？唐的愛或者也是從心所發的可貴的愛，那麼陳的改變態度，也可以視為當然的結果，不過你太苦一點罷。」

　　你的話也是有理的，不過這事實究竟如何，還不曾探明，第一我不該相信你的話，祖師沒有這樣說的。啊！我明白了，你去！你是邪道想來誘惑我罷了，我幾乎忘却了祖師的吩咐。老實對你說罷，我現在明白了，再不會受你的誘惑，我本是佛祖座前的一個捧爐童子，已經修行了七世了，很有妖魔邪道想偷竊我的功行，幸得祖師已對我說明白，叫我提防，我是不中你計的，你不必費心了，妖魔速退！

136　　文明結合的犧牲者

　　突然的一喝，李倒吃了一驚，方才明白程的病，實在沒有好，不過方向轉變而逆深了一點，但是這時候他就沒有再逗留在這室中的權利了。程的大聲呼號，惹得隔室的人跑出來了，有一個年老的婦人，急忙過來阻止他將要實行的暴動，李隨即退出房間，很懊悔多說了一番話，後來他向程的母親，就是那個老婦人，道歉了一回，又安慰了她一番，才告別出來，路上那一對文明結合者的美滿的景像，和程的狂態，交幾互在他心中上下。

十三，十一，八日。

芭　蕉　葉

孟　超

江南江北一般同，

偏是離人恨重！

『——紅樓夢柳絮詞——！

（一）

『呀！好皎潔的月亮！』

澄波剛剛吃過晚飯，拿著一個漱口盂兒，步出房來；驀然看見這皎朗的景象，把全身的血液都淘洗澄清了，神飄飄的好似飛昇到廣寒宮裏一般。隨卽就用纖細的白手，扶著百葉窗的下緣，支撑著那怯弱的身兒，凝定般，沉醉般，深深的從心靈內部呼出了這微妙的賊聲。

她出嫁已經三個多月，滿腹裏懷著這玄奧的謎兒，終是得不出相當的解答，時而在無人的時候，面頰不知不覺的漲的緋紅；有時在他——玄舟——的面前，反而口兒顫的喁囁著，等不到他說出甚麽話來，心頭上早小鹿般突突

138　　芭　蕉　葉

巍巍的亂跳。不消說她是舊婚姻下的一個降服者，對于彼方，以前並沒會受過甚麼戀愛的洗禮，只憑著一紙束帖兒，輕輕的從她父母的幾句話裏，便把她從處女時代，糢糢糊糊的轉變到現在；惟有從前微微聽見人們那靈俏的口頰，常常的議論他，說他是一個浪子，或者再進一步的評論，說他會因受過某種的刺激，神經已經衰弱的不堪，竟幾乎變成一個半瘋狂的人了。從前像撲燈蛾一樣，難以為情的向深幕中探尋；現在雖然廝守在一堆，這些話兒又無從說起；一個悶葫蘆終是梗在心頭，比幽奧的形而上學，還玄祕了許多；末了，她只好作為一個待解的難題，自己承認是一個低能兒，沒有方法能够解決這微積分的算式罷了。但她確乎知道他以前曾經過一次結婚的，他的她——G——是癆瘵死的，自己現在是來作旁人的替身，父母沒會瞞她，她自己也明明白白的像燭光一樣照在心裏，勿庸忌諱，是作他第二度的新人呵！

　　『這是多困難的事，　不能制止他思念追想他過去的人，又沒有方法能够喚起他死了灰了的愛心，我，我終是

一個怯弱的女子，怎能擺脫這一切的羈絆？絕望了！絕望了！嫁後的光陰是甜蜜嗎？幻想能？如今再不做那愛的好夢了！』她常常這樣思量；因為如許亂絲盤延在她的心房、反而把柔和的生活弄到飄渺中去；終日無精打采的，不是靠著枕頭瞌睡，便是對著這華麗而充滿了異香的新房呆呆的痴望 精神慨慨，幾幾乎成了多愁的人了！

今晚，一庭月色，不知不覺的把她憂煩的心臆，慢慢的加上了一重雲霧；這一刹那頃，她的思慮完全沉寂 像一片毫不興波的大海一般澄靜，延長了一二分鐘，還在簷下悄立。

玄舟已經聽見她的喊聲，他以為她是有意的喊他，趕快的從屋裏跑出。但他跑出了，她反而不好意思的，說不出的羞赧；幸月光冷白些，不然她臉上抹上的一層彩霞，早已暴露在他的面前了。

『呵！女哲學家，又在月光底下，探討甚麼高深的哲理呢？』玄舟向來是愛說俏皮話的，他因為常常的看她那種失神的態度，不去思索她的原因，一老實說他也沒有那樣

細膩的心思去思索，便冒冒然給她獻上了個女哲學家的諢號，常常向她關笑。

她聽了，愈是不好意思的，頭垂的更低些，儘管在那裏瞧那牙刷的柄兒；待了許久，纔哼了他一聲，將柔頓的掌兒在他肩上拍了一下：『眞討厭！我們儘管在這窗下痴痴的站著，被人瞧去，定要說我們是對傻子了！』她說完了，將那漱口盂兒送到屋裏，取出了一把籐心椅子，靠在百葉窗的南邊，那一帶竹條兒插成斜十字形的離子前邊安下；他也提出了一把，緊靠在她的東邊，又幫助著她移出了一張小圓桌兒茶具等。這時庭中的空氣剎時和藹了許多，月的潔光，罩住了離和美妙的宇宙，把他倆個浸在偉大的沈默裏邊溶化。

初秋的庭院，因爲署氣剛剛消去，涼爽的金風，沁到人心骿深處。離子劃開了庭的兩部，東邊荷花盆裏的花兒，雖然謝了一些，那餘賸的幾枝，還保持著她最後的依委，媳媳婷婷的在清泥裏邊悄立；鳳仙花，月季花，秋葵花，石竹花，…一切…一切，都像覺著秋來了，生命的限

度，已經在死神掌握中消失了一半，及時行樂，笑吟吟的站滿了全園。天空更是和媚，星稀稀的鑲在翠薇的碧幕上，淡淡地數縷浮的白雲斜抹在銀河左右；不單是月光晶瑩，就是這一切的景象，也都給他倆點綴不少。

夜來香的細膩香息，打斷這沈悄的氣圍；玄舟斟了一杯茶兒，遞給澄波，微微的吟道：『無言獨上西樓，月如鈎。……』

『啊，啊，虧你想出，今晚的月兒，是鈎嗎？』她拍著手兒，笑的把呷下的一口茶兒、噴濕了滿衣，一面用絲巾拭著，一面說。

『我不像你那樣淵博，你想，你想妥當的 』

『我想，我想。』

沉寂無聲的有半分多鐘，他原是一個急性的人，不住的催促，使勁的把她坐的椅子，搖晃的不甯。

『　…』她發急了，急的只有呻吟，再想不出一句來。

『……』

『好，好，今晚的月亮，恐怕也不是……吧？』（…是衰

142　　芭　蕉　集

示聲延長，他說了，她笑了，二人笑的前仰後合，顛簸在縣心椅上。

『有了！有了！』

『說，說！』

『……塞雁高飛人未還，一簾明月閒。』

『上邊呢？上邊呢？快！快！』

『……』她仍然只是沈吟，再也記憶不出前幾句，來填補那話兒的空白，末了，急的那豐盈的兩頰，也都像苹果一樣。

『慣說俏皮話的利口哪裏去了？罰你！罰你！』

她只是笑迷迷的不貧言語。

『罰你，罰你叫我聲……』

『呸！輕薄的東西！不識羞！』她想去拍他的肩頭，但他早巳跳的遠遠的了；沒有辦法，也就只好摹仿他的話兒：『罰你！罰你！罰你想詞兒。』

『好！好！我願受罰，想！想！』他一面在想，一面瞧著天空，『呵！有了！』

『明月幾時有，把酒問蒼天！……』

『什麼事體要問蒼天？趕快 趕快把你那祕密宣布出來，馬脚已在月亮影裏露出來了，還要假猩猩嗎？』

『什麼祕密不祕密，因爲今晚月兒的清皎，聯想到無月時的枯悶罷了！』

『哼、聯想呀！恨明月未長圓吧？老實說好了，還用劃這很大的圈兒嗎？思念就是了！』

她沒曾說完，他便撲到她的身上，數她的肋骨，弄的她吱吱的笑，合呼呼的吁喘；剛一鬆手，她早掉著她身子，向著離的那邊躲跑。他緊緊的隨在後面追趕，不曾放鬆，月光烘出來的影子，作出了溶冶的象徵，也隨著佢們在那裏來囘跳動。她的身子終是弱些，被他追的急了，踏在一個折落的芭蕉葉上，脚底一滑，身兒支撐不住，「通」的一聲跌倒了，他嚇的慌忙把她扶到椅子上，一面便把那片芭蕉葉兒拾在手裏。

她忽然的像醒覺了一樣，那個難解的疑問，又囘到她心中盤佔；自己又羞又恨，實在對于今晚像中了魔一般的

244　　芭　蕉　葉

忘形，說不出無限的懊悔，淡紅微笑的容兒，刹時收斂了，星星的眼兒閃動了一會，淚漭漭下了。他更慌了，只當是跌傷了肢骨，拊摩著連聲的慰問；她半晌沒有說甚麼，待了許久後吞吞吐吐的『我呀，咳！咳！我望你……』她實在說不下去了，只有伏在他懷中抽咽；任他怎樣粗浮，她從近日那失神的態度裏邊，已經能明瞭一些，一看她這樣的情狀，也就滴下淚來了。

　　『你不承認結婚後有真愛實現嗎？啊，啊，你錯誤了，你知道我的心早已復活了。咳！澄波呵！我豈是個骸骨的迷戀者嗎？我，我，我只有……』沒曾等到他說完，她早已使勁把他那手兒握著，歡昵的握著，沸騰騰的一縷熱氣，從手中一直鑽到心房深處。

　　她一切難解決的答案，沒曾用詳明的算式去解剖，在這一片明媚的月光底下，好似一個正當的解答，鉗在晴空，自己又暗暗的思量起來了：

　　『啊，啊，我甯使人說我是向男子獻媚，也不能不求我心的慰安呀！』

（二）

　　她自從那一晚上，沐浴在冰雪般的月光底下，受了 Venus 那一番洗禮以後，她的性格，她的思想，都變了許多：憂鬱的面紗，從此摺疊好了深深的藏起；長嘆的吁聲，再不像從前那樣一度一度的從微紅的唇邊噴出；呆呆的出神的兩個眼睛，更收歛了他二道玄祕的光兒，露出了煥發的明彩；醰和的生涯從此開始了，她被載在這快樂的舟上，向那甜蜜的時間裏蕩漾。就是對于玄舟的觀察，也有深到詳明的解釋，深悔以前對于他的臆度合誤解，是自甘的向暗洞裏邊自尋苦惱，給現在留下無窮的慚愧，常常的現出遒踋促不安的狀態。

　　『呵！我的確是錯怪了他，他何嘗有半點邪行，紈袴子弟呵，浪蕩公子呵，那一切俏皮的諢號，人們對于他是多大的汚穢！咳！咳！惡毒的口呵！不錯，不錯，他對于禮節是常常的不拘，他的舉止又時常現出了輕浮，但充其量也不過是一個天眞爛縵孩子性的人兒吧了，就是他放任的脾氣，叫囂的動作，目空一切的氣概，那是文人的慣性　那是

146　　芭　蕉　葉

文人的狂傲，這樣可愛的才氣縱橫的流露，那能說是他的缺點嗎？就是他對于 G 有所思慕，戀戀在孤墳的侶兒，正顯出他熱烈的感情；G 的否涅，連我這不相干的人，也都為她酸楚落淚，況是他身當其境呵！然而人們的話兒，也不是盡虛，他確乎是有病，確乎是精神衰弱；他夜間常常的犯那失眠的病症．圓睜著兩眼，向屋頂直瞪，咳！他怎是中過愛的傷痕的人，我只要為我……人格是甚麼？向男子獻媚又是甚麼事？咳！咳！幸而他現在已健全了許多，不然，不然，……我還有甚麼心兒忍得怨他呢？』

　　她時常這樣連篇累牘的尋思，幾次想在他面前瀉出，低聲哽語的向他剖白，但蠢的口兒，懦動懦動的終究是說不出來，她終是弱女子的性格，如此，如此，以至于她向男子獻媚的證物—雪曼—降生以後，還是這樣的一天一天一月一月的渡過。

　　那夜使她跌倒的那片芭蕉葉兒，其初還在玄舟手中拿著．後來在感情憤激的時候，那裏顧得到他，早已忘却了，丟到地上。她這一夜之中．像吃橄欖一般的回味，終是

對它有點不能忘懷：一個諒解的圈兒，沒有它怎能劃成，她很怕被那掃地的人掃到土堆裏埋沒，所以在曙色蒼茫的時候，便早早的起的身來，伸了伸忙顓的憊態，步到庭中，幸而還安安全全的棄置在一邊，並因為得了一點朝露的滋潤，愈是顯的鮮艷；翠微的色彩，像是溶冶的象徵，淡綠的脈兒，更像曼媚瞳兒，向她迷迷的發笑。

她將他拾到屋裏，拂去了上邊的泥土，拭乾了露水，用那皓纖的指尖，將它鋪的平勻夾在書頁裏面，作為她嫁後史上的一個紀念。

一天翠芙一他的表妹一來看雪曼，她是十分漂亮而且虛榮心很重的一個女子，除了談幾句不關緊要的客氣話以外，便就是替她未婚夫瑞峯使勁的誇耀起來；她說：「暑假前他已在中學畢業了，秋季升大學，不久一幾年中一便可得到博士的學位。」說到這裏將頭兒一擺，儼然以博士夫人自居了。

玄舟素來對于那一般誇大的人們，卑薄他像對于糞堆上的蠅兒一般，他嘗說：『甚麼博士學士？新式科甲，騙

148　　芭　蕉　笑

錢用的敲門磚吧了！』今天幸而翠芙是一個知識薄弱的普通女子，不然他早罵起來了，所以只坐在椅上，抿著嘴兒微笑。

　　澄波不忍得破壞她驕傲的興趣，只得向她敷衍著說：『瑞峯是在哪中學畢業的？』

　　『S校！』

　　『將來的計畫，是預備升到哪大學呢？』

　　『預備到C省，升P大學──中國最高學府的P大學！論他的學問，將來，將來一定是一個博士呵！』

　　『哼！』玄舟忍不住的笑了。

　　『你又自詡你的清高了！是了，是了，你有澄姊姊這樣漂亮的人兒陪著，當然不希罕甚麼博士呀！』她半笑半嗔的說着。

　　『甚麼澄姊姊不澄姊姊，我根本討厭這般爛羊頭爛羊胃的東西！』

　　『哼！你討厭嗎？恐怕是她討厭吧！』翠芙的眼睛輕輕的向她一瞟，含儲著無限的諷刺合嘲笑。

　　她實在容納不住，又怨恨又慚愧，雖是低頭羞了，但心裏那淤積的憤火，終是熱灼灼的囂騰。翠芙走了以後，她便跑到那無人的暗室裏，盡量的抽咽了一頓；她心裏實在埋怨玄舟：『呵！你高狂也吧，卑陋也吧，爲什麼去打那將來的博士夫人的興頭，給我惹出無數的輕薄污辱呢？』

　　『咳！咳！怨他嗎？怨自己吧！誰叫你不勸他像扒手一般去竊取利祿呢？誰叫你只知有愛不知有他呢？他是個人，瑞峯也是個人，他也不見得不如瑞峯；假使，假使他去却了他那孤癖清高的性情，也像那些蠢物一不懂人間只有愛的魯男子那樣蠢物，使勁的向那污穢的墻洞裏逩鑽營，博士，他這般才華，豈僅是博士嗎？那時我也有揚眉吐氣的機會，再不受這般蛆們的卑視了，可憐呵！他那可愛的高狂的脾氣，又遇著我這否認功利主義的人兒呵！』

　　『但是，但是我究竟懷疑博士的虛名，在實際上與她們又有甚麼利益呢？冰冷的身體，在擁抱的時候，也不見得比平常人們溫暖了許多；滿口術語式的專名詞，在假傍的時候，乾燥無味，澀果子一般，更不見得超過那甜蜜的

150　　芭　蕉　葉

頓語；她們，她們慣吃矢橛而當糖果的人們，讓她吃吧，我只求我心的慰安，諷刺笑罵概由她們！』

這怨懟的絲縷，一重重糾繞住她的心絃，雖是自解自慰，終是有無限的鬱悶延長在她的思想裏邊。

恰好在她煩惱的期間，玄舟的朋友 T 君一新從美國留學囘來的一個專研究東方文學的學者。一因久別的緣故，特別關切從 S 埠寄給他一封信兒，裏面的大意是說：『現在的人們尤其是文人，祇要標榜到一個主義，或者附屬于一種派別，自然主義也好，人道主義也好，非戰文學也好，靜的文學也好，有了一定的目標，然後使勁的向外發揮，不愁得不到很大的名譽合金錢；卽不然，也當該從一個大學生起碼，他們受過大學教育的人的作品，總有可看的價值·除掉他們，任你描寫的怎麼完密，藝術手腕怎麼高强，只是淺薄無聊的東西，像你有這樣豪放的天才，只是不向一種主義或一種派別下倚附，你的作品雖好，又無奈不是一個大學生，可惜！可惜！可惜你不向前進，只去學王爾德的醇酒姬人，只去學那波特萊爾的萎靡頹廢，

咳！合你新夫人結婚以後，恐怕盆發墮落了！……』

　　他看了半段，實在看不下去了，只微微地一笑，把他捏成一個紙團兒，拋到字紙筐裏去。但是她雖十二分不高興，面上却不顯現出頹喪的態度，反笑吟吟把它拾起插到信插上，然後又傷感起來了。

　　『咳！咳！像我這樣的女子，像我這樣不知什麼是羞恥的女子，只配給男人當醇酒媧人的媧人！人們怎樣的咒罵，人們怎樣的指摘，你是瞎子嗎？你是聾子嗎？咳！咳！「合你新夫人結婚以後，想更要墮落了！」這是甚麼話呀？澄波呵，澄波！你不能倭他去作一個大學生，去作一個博士，又不能使他去信仰一種主義，倚附一種派別，你，你對於他是多大的罪孽呵！』

　　她實在沒有勇氣去辯白她的理由，更不敢再正眼鄙視他們的卑劣；她是一個弱女子，怎禁得這銳箭般的，向她心靈中鑽刺。

　　晚上一睡的時節，靠近了玄舟，伏在枕上，盡量的哭了一陣；她實在不敢再愛他了，她心裏何嘗不是酸楚？但

終是背了自己的意志，懇懇切切向他要求，要求他為免除人們對她的辱罵，而去進一個大學吧。他那種自高的狂態，怎肯脱却了這柔和的周圍，遽然聽信她的話兒，懇懇切切的安慰了許久，但她紅的眼兒，含著水珠般的淚泡，從天晚一直泣到天亮。

自此以後，她的精神衰頹的不堪，那種失神的樣子，終日愁鎖著眉端，口呼呼的長吁；偶然有人對於他的事兒向她調笑，她便跑到房裏啜泣。她心目中好似看見人們時時在罵她，罵她是野狐狸，是男子的絆脚絲兒，神經已經成半瘋狂的現象了；但是雖不是為虛榮，雖捨不得他，又不能不衷懇他遠遠離去，他呢，其初雖是不忍，使勁的咬著牙兒，唱他『人間只有愛』的主義，甜甜蜜蜜他安慰她，使她不要將犬吠蛙鳴的聲兒懸到懷內；但她終是禁不住環境的壓迫，那狹容的乖性兒，極堅決的精頹犧牲了歡樂的愛，只求耳旁清淨些，肝肺少氣炸幾回，屢屢的向他請求，甚至于─在精神昏亂時─和他決裂，和他拌嘴，因為這點小事兒，二人反目了。最後他也只好為她的慰安起

見，暫時犧牲了愛；走了，要離別她走了，『咳！去合狗們爭食，何嘗是願意的事？又何嘗是忍得別的呢？』

　　曙色蒼茫的現象，剛剛出現在東方，車兒馬兒一切都預備好了；她實在沒有那強固的意志，起來送他，眼看他把行李一份一份的搬出，眼看他手提著旅行的提包，眼看他……眼看他……其初心裏像麻木一般，好似隔絕在感情範圍以外，對著他只是呆呆的，後來慘笑了，及至於他握著她的手兒表示要走的時候，她已經伏在枕上，哭的抬不起頭來了。

　　『走了！走了！把這片心兒，永遠，永遠…』他說不下去了，他聲音噎了。

　　她便勁咽著淚兒，『去吧！帶著博士的頭銜回來，替我除掉這口鬱氣。』

　　屋內的空氣時涼了許多，他走了，雪曼又在夢裏啼泣。

（三）

　　一重重烏瘴的戰雲，佈滿了四郊；各處的警報，也像

¹54　芭　蕉　叢

秋葉那般的亂飛，正在C與R兩個大軍閥，調兵遣將，捆戰
壕，拉夫子，和狗搶骨頭一般爭地盤的時候，玄舟在 G 地
受了人們的排擠，一切都失敗了，落拓無聊的到了 T 島；
從T島想冒著險兒，要向那戰區中心的S埠走。任他從家中
啓行以後，她早已被岑寂合無聊包圍著，懊誤到她變態心
理時候，那種狂妄動作了；及至於接到他要南行的消息，
不但纏綿的幽思盤據著，更添上一件隱憂：滾滾的大海裏
會有軍艦在那裏決鬥，也許有潛水艇伏在海底，多危險的
事呵！就是卽使能夠安穩穩地到了S埠，那邊拉夫的潮兒，
正像颶風一般狂暴，他一個人旅行，一他孤另另的一個人
旅行，又加上他那樹枝一樣瘦弱的體格，腦病心病合蠶的
刺兒一樣叢集著，那能去作這粗笨的苦力。她心慌了，意
亂了，實在對於自己起了萬般的咒罵：

　　『咳！咳！這是多危險的事，還是我害了他！人們咒罵
算甚麼，我怎那樣的大驚小怪？ 在這烏烟瘴氣的時代，還
有甚麼輿論？ 卽便我就像他們所譏誚的，是一個野狐狸，
是一縷絆腳絲兒，又算甚麼，可憐這般薄弱的意志，「人間

只有愛」的主張，不能貫澈到底，以致蹈落到這恐怖的地步，亂麻似的，兩處裏記著，咳！咳！』

她趕快寫了一封信兒去阻止他，但懸着的心兒，終究不能放到平坦地方，每日像鍋上的螞蟻，繞著屋子踱來踱去；臉兒低垂著，吁吁的嘆聲，從淡紅的口裏噴出，比不了解他的時候，還重著萬倍。

後來他聽見人們說，南北的交通已經斷絕，火車輪船一切都已停止，她極驚懼的歡喜了；她盼望──她恨不得這些話兒成了事實，她的信也能夠趕上他的行期，發生了效力，使他能夠中止了南行，掉轉回來，脫却了無窮的危險，再繼續那人間只有愛的主張。『啊·啊，可愛的戰爭呵！交通斷絕，永遠的斷絕更好，只要阻止了他的南行，巧嘴的人們呵！還有甚麼諷刺的話兒呢？還是這可憐的絆腳絲兒繫住他的腿嗎？』

她這新的妄想又發生了，每日眼巴巴地只盼望著新聞紙上的消息，但每次翻閱的時候，只能得到火車都已停止、航路的話兒、並沒會提到；其初她還疑惑是他的遺漏，

156　芭蕉葉

滿含著希望的面容，手戰顫顫的，心抖抖的跳著，翻閱了一遍，面灰敗的垂了，後來，一次二次，漸漸的起了懷疑的念頭。

『那消息是不確吧？怎麼在這新聞紙上只是不曾登載，戰報是重要而且祕密的，或者因為這個緣故，他們所以不敢登載吧？不，不，那末火車停開的消息，怎麼還用三號字兒排列著呢？啊，啊，我們知道你們已經窺見了我心的空虛，所以纔故意的造出了這無聊的謠言，來欺騙我，來耍笑我，咳，咳，無同情心的人們啊！卽使我不忍離別，又算甚麼事？又不是國計民生的重大問題，何勞你們這般用心的播弄，咳，咳，你們是忌妬我嗎？恐怕你們的心兒，冰冷的心口，早已經結了冰了，去，去，去施你們的狡詭去吧，去造你們的謠言去吧，我恨不得生啖你們，再不受你們的欺騙了！』

她雖然已經十分明了那消息是靠不住的，但還是痴心妄想，拿著當做一個假定的事實，在那裏希望，只等到他那『已經於×月××日乘××輪船起行』的信兒來了，

總丟開那甜蜜的妄想，摺疊起那歸來的好夢。

　　到這時候，她總真感到別的滋味，庭院還是那個庭院，竹籬還合那年那時的一般的插著；不過月兒雖亮，只是慘白些；院中的花草，仍是嘲笑，高傲驕人的嘲笑呵！一切…一切…的景物，都成他憂悶的對像。秋虫喁喁的泣聲，蕭清的金風，又瀟瀟沙沙的淒哭，秋來了，更是助人深思的時候，她焉得不向著江南咨嗟呢？她焉得不脈脈傷神呢？「過去的優美，過去的雖和，曇花一樣刹時謝了！時間呵！一個凶黑而猛驚的毒蛇，惡很很的把人生的真趣向下吞吃，「塞雁高飛人未還，」不幸，不幸作了憂傷的預言了，咳！咳！」她不堪睹這秋庭的暮景，她不忍追思那過去的囘憶，又鈎了無限的怨樓了！

　　「天漸漸冷了，卽便江南熱些，也總不是春的時候，他只穿著件薄薄的衫兒走的，他手中的金錢也不見得寬裕，現在又當兒匯見停滯期間，他的生活怎樣的維持？作乞丐去嗎？大約已經成了貧民窟中的餓莩了！他身體素來孱弱，怎當住這刀刃般沁骨的涼風；兵戈以後，必有可怕的

瘟疫盛行，倘若他病了，又有誰來扶持？咳，咳，這一點虛榮一並不是虛榮，一時憤氣吧了，使他這樣的向窄路上走，我，我的罪呀！他的生活，恐怕，恐怕還不僅這樣吧‥』

淚眼盈盈的流了一天，哪有心緒去看月亮？抱著雪曼，來來往往的盤旋了一回，躺在床上，輾轉反側，祇難入睡；雪曼偶然啞啞的嚶啼，更使她心裏絲一般麻亂了。

『有嬰兒在身旁亂嚷著的女人，常能却去了無限的孤寂，啊，啊，我怎麼是特別的一個呢？我這無量的幽思，終是被他鈎起了！母愛究竟比較弱些，我不知耻，老實說一句：兩性的愛，怎能被母愛奪去呢？假令我有了他，我只有他，我又希罕嬰兒幹甚麼？無奈，無奈，…現在的寂寞呵！』

她正在思慮，雪曼也呼呼的睡熟；忽然遞進了一束束兒，因爲交通不便的緣故，郵務也停滯了許多，這一些的信兒，雖然遲了許久，但幸而沒有半點遺失，得能夠安安穩穩的到了她的目前。她剛剛接著，手戰慄了，心裏也怦怦的亂跳，是驚是喜，抱著許多啞謎兒，腦波裏冲激，她不知道應該先從哪封讀起了；後來找出了一個包兒，並不信

兒，乃是一個薄薄的紙包兒；他知道是他別後的容顏，從郵袋中載來，趕快扯去封紙，輕輕取出。

『啊，啊，還是那時模樣，髮兒蓬亂著，眼睛弈弈的閃爍；那眼鏡的眶兒，把他眼的周圍，勻勻的畫上了一道黑圈，給他面部添上了無限的精神，兀突突像一個大理石的人兒，在雪潔的紙上俏立；我皈依到你座下的偶兒呵！心嵌著你的小影的偶兒呵！你憔悴了嗎？你塵戰在風塵中已經多時，恐怕滿經了風霜吧！肥點嗎？絕對不能；瘦點嗎？也看不出許多；難道別後這幾月中，從G到T，從T到S，面頰上色彩肌肉的豐減，就沒有一點變化嗎？我也許是牽記的心兒，幻出了的疑問，但他怎是康健呵！』

雖是一灣的江水，阻隔了無限情緒，但她心慰了，將這張像片兒，鄭重的包好收起。

在他的像片以外，還有好幾張風景片兒，他很細膩的注明，這是某處的某地，那是那裏的風景；還有好幾張上，都提著他豪放的詞兒詩兒，一句一句的，好似他掉著很富有詞藻的語氣，柔柔頓頓在向她告訴。

160　芭　蕉　葉

『這是 G 埠，G 埠的清幽，是可愛的省會，我從前在那裏小憩過的。這一張是那裏的公園，這一張是那裏的 M 湖，公園攜手，湖上談心，在月光從柳條裏透過的時候，並不亞於這狹窄的枯庭，是多幽雅的事！是多有趣的事！我，我終是無緣，這一切的景兒，恐也喚不起他的樂意，孤獨獨的像沙灘上雛侶的雁兒一般，來回的翔飛，又終有甚麼意味？我在想他，恐怕那時候的他，看見游園的愛侶們，蕩舟的情伴們，他心裏也一定是熱灼灼的垂涎，想要恨自己不該 養牲了自己的意志，脫離了伴侶，一個人跑到那裏去吧？咳！咳！他要怨我，我將怨誰呵！

『哪是 T 島，我從他的說明上，知道那是 T 島；洶湧的海水，噴起了一重重的白沫；巍巍的燈塔，在那灰黑塗抹中，看出那椿似的東西，舉著點兒白星。那蜿蜒曲折的蛇形的堤兒，伏在銀白的波上，那站在上邊的白衣飄揚的人兒，他，他，他在說明上，明明白白的說是他了，啊，啊，這狂濤怒號的海邊，豈是博士學士所能蒞臨的地方？他們只能向金錢孔裏去翻身，俗子儈夫，何能作這高雅的事兒？

你，你髮兒飛舞的狂態，正是海的點綴品，但是，這正表現出你沒有博士學士的資格呵！大學生豈也容易的事，這一次的奔走，恐怕沒有甚麼效果，只留下兩地情牽吧了！』

她對著這幾張風景片，又出神了一回，感喟了一回，像置身那時一般的推想，反而把那許多信兒，棄置在一旁；待了許久，纔把風景片裝到一只鑲金黃色的鏡框上，對著她睡的床幃掛好，方急急的去拆那那信兒，紅箋的綠箋的刹時擺滿了一桌，總括起來，也不過報告他的狀況，和一些纏綿的話兒密排著；她心裏雖為這些箋兒柔化了不少，但終不是守著人兒呵！並且還有重大的問題，像素月的鈎兒，懸在她的胸肌，最後在一紙深灰色的箋上，總得到他已經考入××大學的消息。

(四)

前幾天風雲那般緊急，不時的還有玄舟的信一束一束的從 S 埠寄來；現在波浪已經微微的平息了些，雖然時而還有騷動的現象，但烟霧已經消散，只有薄薄的白翳了。交通方面，郵件還不能趁那迅速的火車，合以前那樣

162　　芭　蕉　葉

捷便，但也已經都繞著道兒，從海運方面，一天一天的寄來；然而玄舟的信兒，却反像小小的沙礫，墮到大海一樣消沈，半月多沒有半片紙葉飛來。她善懷的素心，在這孤苦的空氣壓迫之下，早已被了這長期孤感的破碎，怎再耐得這許久的沈默，遠念到江南的音兒呢？她幾度的蹙著眉尖兒思量，又頻頻的屈著指頭兒算計，她不像以前那樣犹心的疑惑他是病了，或有甚麼意外的事兒發現；她猜忌的心間，只在那狹窄而好轉灣的空隙裏邊，幻起了一重空中的樓閣，一層層新的隔膜，荒妄般飄渺著，她確定他現在已經是大學生了，生活合心懷，必然被環境的誘誨，變移了不少。

『像他這樣沸騰的熱情齎發的人兒，怎能耐得住這獨居的無聊，況在那S埠，那樣車水馬龍的繁華區域？並且又站在那些任情狂放，酗酒肆意，做肉麻詩，作無聊小說的自命文學家的文人隊中呢？他焉能忍得住他的愛洋洋的要往四處發泄呢？妖冶的少女呵！媚豔的蕩媚呵！我怎能忍得閉著眼睛，去冥想你們鈎魂鈎魄的去引誘他的那種

情致呢？妬嫉，是女子的惡德嗎？我不會隱諱的，那種情形確已潛伏在我的心底，我是一個卑劣的女子！是人們所卑視的慣容易起酸化作用的女子！他，他是我自己所獨有的，決不是與任何女人相共的產業，我怎忍得讓他被其他的女人搶去呢？啊，啊，我心的粒斷了，他已經不在我所有範圍以內了，咳！咳，我無限的憤懣呀！……』

現在她因別而思，因思而恨，鬱火已經熊熊了，滿腹的狂波，也達到最高潮度；驀然聽見叩門的音兒響起，又引起她無限的測度，她盼望是那可愛而又可恨的郵差，負著那沉重的郵袋，裝滿了一束一束他的信兒，堆積了許多日子的，同時寄來了；但是她開了門兒，果然是綠衣人實現在她的面前，她反而心兒抖抖的戰了，怪不好意思的；等他從袋中取出一束印刷品兒，一個深紅的封兒，她滿含無窮的希望，剎時冰冷冷的像投到水裏一樣，沒曾接到手裏，早已知道又是一個空虛了，垂著頭兒，無精打采的長嘆了一聲，都沒曾拆封，丟到桌上。

那個深紅的封兒，是瑩英合瑞峯結婚的喜箋，他們雙

154　芭蕉葉

方，一個長得標緻的面孔，一個是將來的博士，現在的大學生，備有這二大要件，所以美滿的稱贊，就像泥溝裏的蛙鳴一般，震破了人們的耳鼓。她能夠得到他們的喜東，是怎樣光榮尊寵的事兒；自己太不自量了，爲甚麼連看也不看，丟在一旁呢。擱置了半天，到了晚上她狂風刮過的心膛，小靜了許多，才不經意的拾到手裏，拆開封口，拿出那薄薄的紅紙，略略的瞧了一瞧，『咳！有甚興趣，去看你們的快樂呢？』她怕聽這結婚兩字，她疑他們特特的在她這孤獨獨情緒不佳的時候，故意的作出這種種事體，驕傲他這可憐的人兒。

　　第二日便是他們的喜期了，她何嘗願意合這些姐兒們逢迎，受寵若驚，隨世附和，那心地多潔白而高曠的她，更是說不到的；不過，一重薄薄的戚誼的關係，又給她添上了一次應酬的煩文，不得不收拾起自己那幽思怨縷，從憂悶的面孔上，再蛋上一付佯笑的面具，向那燦爛的華堂裏邊對付。

　　翠英今天特別的高興，從那滿身緋色閃耀的新人裝

束之中，映出赤霞的面頰，笑微微的嘴兒，流來流去的清波，無一處不顯出她那華麗絕世的豐姿，她確是一個高貴的女子，一舉一動只是神采飛揚，不像平常女人一樣。彩兒薄薄的遮不住她的半面，故意的逗著眼角，向左邊右邊的那些來賓中的鰥夫少女們，施行她驕傲的威權。

澄波來的時候，婚禮尚未開幕，她淡淡的一翠英今天也只能淡淡地一合她談了幾句；她知道玄舟已經入了S大學，竭力的恭維了她一陣，但一方面還是將瑞峯提的高高的贊許。澄波雖竭力模仿她們的舉止，一誇大的舉止，假充出一般華貴媼人們應有的態度；但因為看見她那自高卑人充滿虛榮的驕態，心裏又老大不高興了。

「啊，啊，傻瓜！誰合你們比賽虛榮呵！他─瑞峯─好好吧，何用再向我這孤單的人兒形容？我，我哪有你這好的運命呢？實在沒有合大學生作伴侶的脾胃，只賺得些岑寂的苦味吧了！已經吃夠了你的虧兒了，到如今瘡口還有潰爛，咳！咳！恐怕永沒有平復的一天吧！」

婚禮開始了，幽揚的雅樂，像從天上吹下的笙歌；燦

166　芭　蕉　叢

爛的禮堂，又好似華貴富麗的月殿一般，來賓們擁擠擠擠的；都嘖嘖的稱讚。男賓席上的青年們，早已眼不轉睛在新娘的粉白而微帶紅潤的頰上閃蕩；女賓席上那些妙齡的女郎們，更把羨慕由稱讚而變為豔羡了，互相指畫著，互相附耳私語著，她從亂洋洋的人聲中，微微的還能聽見：『他是將來很有博士希望的的人呵，今秋剛剛考入 P 大學呵！……將來還要留美留歐呵！……』難難沓沓，這一類賣嘴的聲兒，從她們隊中頓洋洋的漾出。

　　她聽到這類的話兒，亂蓬蓬的心裏，實在覺不出是受了一種甚麼特殊的感覺，剛剛連接起來的絃兒，又崩裂了；她實在不敢咒罵她們，也實在沒有勇氣，隨著附和，畏畏縮縮的在一個墻角處避著。音樂的聲音愈是高趣，那被壓迫在孤獨無侶的單調生活底下的她，怎禁得這熱烈而歡騰的刺激？心裏也隨著上下忐忑；後來笙笛的銳聲，繞著梁兒幾幾乎破屋而出；刺人耳官的鼓聲號聲，琴琴嗚嗚天翻地覆的擾亂；她麻木了，四肢也都痙攣，像一個輭弱的小綿羊兒，被困在虎獄的羣中，想要破圍而出，又奈一

重的人們團團的圍著，只好閉著眼睛在那裏受哪反勢力的苦刑。一陣軍樂聲，一陣鋼琴聲，一陣……一陣……最後好容易盼到那留音機般的司儀，提高了喉嚨，使勁的喊出了『禮畢』二字，人羣中一陣喧嘩，一雙新人兒喜洋洋的握著手兒，向著四圍的來賓，使了個驕傲的眼風，便載在嗚嗚的汽車上去了。她好似醒覺了，隨在賀客的隊中，徬徨的身體，極鬆懈的好似新病以後，毫無精神的向外踱走，潤潤的臉頰熱灼灼的只覺得無限鬱火一齊都向外直冒。

回到家中，有氣無力向床上一躺；床的全體，被她徵徵的一動，把睡了好多時候的雪曼，從酣夢中驚醒了，哇的一聲，從摵的被子裏面鑽出那蘋果般的頭兒，不住聲的在哭，她的全身，又加上了一重冷水，『咳！哪一件不是使我枯悶的對象呵！』長嘆了一聲，把他抱起，對著小頭慰貼了一悶，慢慢的拍著，不想他因為肚裏受了這長時間的飢餓，又是矇矓朧朧，被驚睡起的，不但不伏伏貼貼極安適的臥在她懷裏，反一擅一擅的大聲的號哭，她異急了，手兒一上一下的拍，嘴裏各和催眠的歌兒亂唱，他只是不會

停止，在這時候，她的淚兒不知不覺的絲一般落了。

後來臥在床上，用乳兒喂了他許久，擒龍捉虎一般，好容易他纔閉了二個水淋淋的小眼睛，打了一個呵欠，又呼呼地睡去。

她看見雪疊已經睡濃，輕輕地把那小被子給他蓋好，便慢慢地走下床來，倚著床沿正在沈思，那玻璃鏡子裏，映出那憔悴慘澹的面色，直現在對面，她心裏又是一陣酸楚，『把這片心兒永遠，永遠……』這是他走的時候，那斷續的話兒，咳！咳！永遠忘却吧！』踱到寫字櫃前，拿出了幾張信箋，想要寫封信兒，盡量的把鬱積的塊壘泄出；但拿起筆來，沈吟了一回，寫上了『玄哥』二字，把筆又擱下了，『咳！我要從哪裏說起呢？一樓樓的亂絲，那裏是個頭緒？』扶著頭兒尋思了多時，向牆上的信插裏，取出了好些信兒，想要從裏找點材料，但一堆信裏，第一封觸他眼簾的，便是Ｔ君高談主義嘲笑他的那封信，『這又是一根導火線呵！咳！咳！我再不說甚麼了，我只有忍受，我實在禁不住這被遺棄的苦惱！他，誰想他也像蝦兒一樣，跳到鍋裏，便

變做紅色；「人間只有愛」，愛也是碧空的浮雲，抵不住狂
驟的暴風！然而這也難怨他呀，掉在糞堆裏的：哪能不被
著污穢呢？我有甚麼面孔向旁人訴冤？又有甚麼勇氣去求
他饒恕？咳！咳！……」

她一陣傷感拿著那封信兒，慢慢的了一囘，「啊，啊，勾
魂的符兒！勾魂的符兒！」隨手燃著一根自來火，剎那間燒
成了灰燼；伏在檯上又嗚咽起來了。

還有甚麼情思能夠繼續著去寫信？信紙是散亂滿檯，
也沒有精神收拾，似有意似無意的拿起了那卷沒曾拆封
的一棄置了一天沒曾拆封的一印刷品，隨手扯去封紙，乃
是一本新出板的素月雜誌，他翻了翻目錄，陡然發現了他
一玄舟一的一首詩兒，標題是心墓，並明明白白的註上了
「懷 G 」的字樣。她的鬱氣又逼上來了，連看沒看，拋在一
旁。

「新的，在S埠左擁右抱，定然不乏美麗的粲者來勾引
你，使你流連迷戀；舊的，G，你失去的伴侶，你葬心的墳
墓，你又作那纏綿悱惻的詩兒去懷念她；可憐，可憐在新

170　　芭　蕉　葉

傳來層的我呵！怎麼便和敝屣一般的遺棄呢？」她哭，哭不出淚來，又作出她厭煩的慣例，聳著肩尖，倒在茵褥之上。

新的宇宙又像一縷縷淡烟絪縕著，向外推散，她渺渺茫茫的身兒，輕盈的葉般浮蕩著飄在半意識的狀態裏邊，走出了這孤苦的愁城。

月光瀉影，銀星兒閃滿，熹熹照照的靜夜，又像那時節——他倆個在秋籬之下默誦詞句兒那時節——一樣，離子照舊的插著，荷花比那時更覺新妍；馥郁的異香，散佈滿了全庭，使她又感到鳳仙花月季花秋葵花石竹花以及夜來香等各種的幽息。她一個人兒踽踽的，徘徊的，踏在那月影伏動的花紋上邊，來往的躑躅；庭中雖然煥發繁茂，但除了她輕悄的足音，漫無別的聲息，這清寧的周圍，終現出幽靜而沈默的景像，滿佈在全庭，似一個仙境一樣。她步到籬邊，摘了許多小花朵兒，簪在華鬘上邊；又取了一些清爽的露珠，嗽了她的口，洗了她的兩手，正要想去恔扶著離子的門兒，向著星裏高呼『玄哥』，忽然一陣虎吼

般的狂風，嗚嗚的從西南角上刮起，烏騰騰的黃沙、剎時把這靜景推翻了，蒙上了一重舊幕；月兒收了光，花兒彫謝了，亂扠扠的的枝葉，骨骸般堆積了滿院，荷花的盆兒碎了，籬子的竹兒折斷，急驟，混亂，似數百萬魔鬼張牙舞爪向著荒涼的墓場裏奔走，她心驚了，眼迷了，全身戰慄著，『哎呀』的一聲，竭力的向著屋裏跑去。

昏昏迷迷的跑到屋裏，把怦動的心兒沈了一沈，留心向四處瞧看，『啊！錯了！』那並不是她的屋子，裏邊陳設的比她的華麗了許多。毿毿的地氈；淡綠色的墻壁；紅紫色的圓檯上，寶藍的膽瓶內供養著顫巍巍的薔薇花兒；靠著屋的東偏，那西式雕刻著各種花紋的銅床上，緋紅的流蘇帳子低低垂著，床的前面安放著兩雙男女的鞋子她面頗了，狠狠的想要慢慢退出　但又怕門外的那樣暴風狂呼；止住吧，又恐受了帳裏邊的人兒呵責，踉踉蹌蹌在那裏存留不住的站著。

『誰？向人家閨閣裏邊亂闖的，滾，滾，不要臉的東

　　她沒曾聽完，提著腿兒使勁的向外跑去；後邊追趕的聲音，狂罵的聲音，一步不曾放鬆的跟著她，像捉拿凶犯一般的急迫。她汗淋淋了，口裏也吁吁的狂喘。

　　『逃？哪裏逃呵！』

　　『捉住！捉住！捉住這不知羞恥的女人！向人家房中亂闖的瘋嬸呵！』

　　『捉住，捉住！』

　　『……』

　　四面的人聲一粗暴的人聲，像波濤一般澎湃的亂嚷；她跑在前邊，腿兒已疲乏的不堪，儼然就成了仔俘了，猛然的一一抬頭間，只看見一根闊而長的白帶子般的大江，阻住她的前路，波浪像虬龍掀天決地的狂湧，白沫兒連連續續的不住的噴吐，被冲擊著的礁石，「咆嘯」「喀嘯」的怪響，又像凶惡的水獸 張著血盆的大口，只等候她來，以便吞食。『完了！完了！向哪裏逃呵！』身上冷颼颼的，四肢也覺出癱頓，長嘆一聲，蹲在地上。

　　『呀！他嗎？』她回眸一看，乃是玄舟擁著一個妙齡的

少女，手兒攜著，二個肩頭親親妮妮的緊靠，她不敢看了，她不忍的看了，心裏是苦是酸，合江內巨波同一的洶湃；但在遺危險的時候，又不得不使勁的表現出一種乞求的樣子，求他哀憫；他呢，不但沒有半點憐恤的神氣，反惡很很的指揮著旁邊的人們向前追趕。那個少女──他新的偶兒，更斜著媚蕩的眼兒，像凱旋的雄師一樣，譏誚般向她倩笑。

　「啊，啊，我知道我沒有這樣幸運，去合一個大學生，作為配偶；遺隨由他吧，我自認是薄命的人兒，還有甚麼話說呢？但是……但是……咳！咳！我再不作搖尾乞憐的樣子了，男子，尤其是知識階級的男子，你們，獸！惡狗！專用各種狡滑手段來欺驅可憐的弱女子的獸！搶掠剝削我們那星星點點的「愛」兒的惡狗！假令，假令我們有反轉的時候，殺，屠殺，屠殺盡你們！」她氣極了，緊迫著的喉嚨變嚲的不能發聲了，待了許久，微喘了一喘又向著那少女：

　「好！好，你，強盜！掠搶我的強盜！你把我可愛的生生的劫去了，還用那淫蕩的目光來嘲罵我；我，我恨不能生

174　　芭　蕉　葉

嚼你，嚼爛你！』她略略的一沈：『但是，但是你能覺出他是怎樣的可愛，你總算一個聰明的人，我再不起甚麼夢想了，但願你們常常的愛吧！……』她聲顫顫的哭了，旁邊的嗷聲，又沸騰的湧起。

　　『捉住！……捉住！……丟到黃浦江裏！』

　　『捉住！…捉住！…送瘋人院！』

　　『捉住！…捉住！…』

　　『………………』

　　『啊，啊，黃浦江嗎？中禪寺火山口吧！我再不勞你們逼迫了！』『通！』她醒了！

（五）

　　在這時候，雪曼已經在許久許久之前醒了，爬到被外，蠕動到她的枕邊，看見她濃睡的眼兒，只是像膠糊住一般，迷迷的閉著，不曾醒覺，他哭了，哇哇的號哭，她只在做她那毒水似的苦夢，那裏還能夠聽見；他更起勁了，伏在雪白的枕頭，兩腳向那綺羅的錦褥一蹬一蹬的，連旁邊那些書籍，報紙，信束，…等都被他揉搓的不堪。

　　何嘗有甚麼追趕的人兒，也沒有甚麼江水，這一切的
虛象，在被搖晃急了的時候，早已合泡影一樣烟消雲散，
醒了，從黃浦的巨波裏逃出；睜開那精神煥散灰敗無光的
二眼，全身汗淫淫的，胸頭更突突的亂跳，矇矇朧朧看見
她那比晶瑩的寶石還珍貴的，比生命還愛惜的，常常放在
夢魂繚亂的枕邊，把玩著消除她的離懷的那片芭蕉葉兒
──也就是使她跌倒，畫成了融和的圈兒的那片芭焦葉
兒，也在這時候被揉搓碎了！

懷史文平 To Swinburne

邵　洵　美

你是莎茀的哥哥我是她的弟弟，

我們的父母是造維納絲的上帝一

霞吓虹吓孔雀的尾和鳳凰的羽，

一切美的誕生都是他倆的技藝。

你喜歡她我也喜歡她又喜歡你；

我們又都喜歡愛喜歡愛的神祕；

我們喜歡血和肉的純潔的結合；

我們喜歡毒的仙漿及苦的甜味。

啊我們像是荒山上的三朵野花，

我們不讓人種在盆裏插在瓶裏；

我們從瀾泥裏來仍向瀾泥裏去，

我們的希望便是永久在瀾泥裏。

六，二十，中國海

恐　怖

邵　洵　美

我底心中還留著你底小影，
我底嘴上卻消了你底唇痕；
太陽的紅光已聚在山肩了，
啊那上燈的時分又要到了。

鼻裏不絕你那膩膩的香氣，
眼前總有你那血般的罪肌；
太陽的紅光已聚在山肩了，
啊那上燈的時分又要到了。

十五，四，十二。巴黎

178　莎　菲

莎　菲

邵　洵　美

你這從花牀中醒來的香氣，
也像那處女的明月般裸體——
我又見你包著火血的肌膚，
你卻像玫瑰般開在我心裏。

十五，六，二〇〇中國海

匹　偶

史文平作　邵洵美譯

要是愛是玫瑰花，

而我和葉子一般，

我們的生命當相相長在

憂鬱或是歌唱的氣候裏，

含苞的園或是開花的場裏，

綠的快活或是灰的愁苦裏，

要是愛是玫瑰花，

而我和葉子一般。

要是我是字，

而愛和腔調一般，

用著雙的聲音或是單的快樂

我們的嘴唇當把

像小鳥在中午得著甜雨

180　匹　偶

一般歡愉的吻來相和合；

要是我是字，

而愛和腔調一般。

要是你是生，我的戀人，

而我，你的愛，是死，

在三月將氣候弄芬芳以前

我們當和黃花與青鳥

及有結果的呼吸的時光

一同發光一同下雪；

要是你是生，我的戀人，

而我，你的愛，是死。

要是你是憂愁的奴隸，

而我是快樂的侍僕，

我們當為生命及時季而扮演著

情的顧盼及義的破壞

屠　蘇　181

早晨或是夜晚的淚
帝男或是處女的眼；
要是你是憂愁的奴隸，
而我是快樂的侍僕。

要是你是四月的太太，
而我是五月的老爺，
我們常多少時候拋散著葉子
多少時候引誘著化兒，
直到日和夜一般幽暗
夜和日一般光明；
要是你是四月的太太，
而我是五月的老爺。

要是你是快樂的皇后，
而我是悲苦的君王，
我們當一同把愛捉下來，

偶　　匹

拔掉他的飛騰的羽翼，

敎他的脚知道些分寸，

爲他的嘴找到個限止；

要是你是快樂的皇后，

而我是悲苦的君王。

十五，五，二三〇地中海

法郎士的「龐乃德之犯罪」

"Le Crime de Sylvestre Bonnard"

de Anatole France

徐　聲　越

　　法郎士評莫柏霜的『人心』時候，指出現代文學處處流露勘破一切的語調，不信世上有所謂善。又謂『法國十七世紀的文學，惟信道德；十八世紀惟信理智；十九世紀的浪漫文學，惟信感情；至於現代的自然主義，除本能外一無所信。』現代的文學，雖然千門萬戶，各立旗幟，都有此種現象。法國革命以來，舊社會的崩解，日形顯著 新社會的建設，尚未成功，一般有思想的人，都感覺到

Wandering between two worlds, one dead,

The other Powerless to be born,

的煩惱；故悲觀的懷疑的態度亦不始於近時，只是在現代的文學裏觸目皆是而已。再加之孔德的實證主義，戴恩的命定說影響於文學，由浪漫主義而爲寫實主義，更進而爲

184　　法郎士的麗乃德之犯罪

自然主義，或更變本加厲，激曹拉之頹波，扇冀柏霜之餘風，所謂客觀的科學的藝術，無非將殘破的面幕揭穿之後，一些恐怖的醜惡的寫照而已。但是此類文學能否使我們滿足？恐怕一般人在這不安甯的環境之中，需要一些快樂的安慰，比之那些醜惡的宣示，更要急切一些。所以喬治桑特的問題小說，早成明日黃花，而她的農家小說，描寫一些冀樣的生活，深藝的感情，一片詩境，還能令人神往。她在她的佳著 La Petite Fadette 的序言裏說：

De nos jours, plus faible et plus sensible,
l'artiste éprouve le besoin impérieux de détourner
la vue et de distraire l'imagination, en se reportan
vers un ideal de calme, d'innocence et de réveriet
Dans les temps ou le mal vient de ce que les.
hommes se méconnaissent et se détestent, la
mission de lártiste est de célébree la douceur, la
confiance, l'amitié et de rappoter ainsé aux homes
endurci, ou découragés,que les moeurs pures, les

sentiments tendres et l'ebuité primitivé sont ou
peuvent être encore de ce monde. 現在時候，仃待
善感的美術家覺得首要的事，是要移轉他的眼光和神
思，囘向一個寗靜純潔與夢幻似的理想世界去，任人類
互相侮蔑嫉惡的時光，美術的使命是讚美柔善忠信友
愛種種美德，使一般殘忍或顢頇的人知道柔情潔行和
原始的平等並未絕滅于世。）

　　假使人類的情性不會改變，這類的美術家所得到的
同情和讚歎也永不會減殺。法郞士的『麗乃德之犯罪』在
文學上所處的地位正是如此。

　　從法郞士的著作的全體看來，他是一個極端的懷疑
派，在他晚年作品裏尤其顯著。一部『冰禽島逸史』(L'Ile
des Pingouins)在諷剌文中可算空前的鉅著，對于宗敎政
治道德美術，無所不用其深刻的嘲諷。他的人生槪是但有
破壞而無建設的。但是他的悲觀的懷疑的態度在『麗乃德
之犯罪』裏尙未顯著。這是一篇極簡單極尋常的故事，但
是那種深情妙語，將使此書在其餘較重要較偉大的著作，

令世人失去興趣之後，巋然獨存。

此書係時歷二十年的一部日記，分爲前後兩部，中間並無貫串的線索。就結構上說來，此書一無可取，但是法郎士的書都沒有什麼結構，却並不因之減少讀者的興味。因爲法郎士的心思情緒和流水行雲一般隨意卷舒，不可加以拘束，這種散緩的體裁，正和他性情相合。我們讀他的書，彷彿風和日煖時候，樹下溪邊，聽着一個老年人講些布帛菽粟的家常閒談，隨時穿插一些少年的影事，無端的感想，雖無線索可尋，却令聽者忘倦。『如果沿路的風景美麗，不必問其所至之地，』法郎士此語 無異自贊。

書裏的主人翁龐乃德是住在瑪拉該埠頭上一個六十來歲的考古學家，終身在那所屋子裏如蜂釀蜜的向故紙堆裏覓生活，——Voici la ruche humaine ou j'ai ma cellule poury distiller le miel un peu âcre de l'erudition。雖負盛名，老而無依，依然還保持着他天眞的童心，對于世路人情，一無所知；與他爲伴的只有一個老管家婦戴萊士，是個忠懇嚴峻的老婦；他的一舉一動一飲一食，都要

受她監視。

　　第一部裏說龐乃德爲一本十四世紀的珍奇稿本，跋涉長途，屢受愚弄，直到拍賣場上競購失敗以後，忽然有人將這本稿本送來給他。在這裏我們看見一向冷靜的龐乃德，爲了一本古書，使他失去一切安閒，使他童時的影事又如畫的浮入眼簾；他便敍述起怎樣在一家雜貨舖裏看見了一個醜劣不堪的木偶，他却以爲異常美麗，眠思夢想的要買他，使我們看了彷彿又回到彼得諾齊愛爾Pierre Noziere的聖經故事畫冊裏了；在這裏我們見到了純美的詩歌。

　　龐乃德究竟不是一個完全的孩子，常常顯出他的寬大的容量，雋妙的機鋒，對于一切事物，多與以一些冷雋而不刻薄的解釋，在譏刺中間，往往含着憐憫的態度，在這裏法郎士的伊畢鳩魯派的態度方盡量的表現。在這幾十張書裏，龐乃德以外，法郎士又寫給我們一個戴米士她是一個信仰上帝信仰道德的忠勤婦人，她說：『醒着沒有工夫做夢的人，睡着也無暇做夢；我的時光恰彀我的工

188　　法郎士的龐乃德之犯罪

作，我的工作也正殺我的時光；每天晚上我多能殼說：上帝賜我安眠。』我們可以想見其爲人了。此外如維克多舅父的的暗鳴叱咤，侘傺無聊，和屈萊波甫貴婦的跳邊自喜，多有他可喜的地方。以這樣絕然不同的幾人，組成一幅美麗和諧的圖畫，已足使人留連，但是引人入勝的文字還在後邊。

在第二部裏情景又一變了，這樣一個鰲魚似的老舊癖，他心底還深深埋藏着一段勤人心肺的情史呢！所以他看見了舊貨攤上模糊如影的一張婦人照片，就說到

Cette image me remplit d'uue tristesse charmante. Que ceux qui n'ont point dans leur âme un pastel á demi effacé se moquent de moi! （這張照片使我充滿了纏綿的愁緒，讓那些心上沒有一幅半滅的小影的人來嘲笑我罷！）

龐乃德少年時戀愛過一個少女名叫 Clementine 的，她的父親是個波旁黨人；但是龐乃德的舅父維克多是個滑鐵盧的戰士，拿破侖的崇拜者。結果起了口舌的衝突，

Clementine 跟了她父親遷移去了，從此不復會晤。後來 Clementine死了，Clementine 的女兒嫁了一個銀行家，投機失敗，家產傾盡，夫婦悒鬱而死，僅留孤女琴妮，寄讀在一家私立學校裏。（法郎士在初稿裏琴妮是Clementine的女兒，再版後改作外孫女。）

龐乃德在失戀的四五十年之後，聽到他情人尚有孫女存在，孤苦無依，他那垂盡的餘年好像又得到新的生命：

> Ma vie, en ses derniéres jours prend un sens, un intérêt, une raison d'être.

從此他把扶助琴妮作為他生活的目標了。

書裏描寫琴妮的靈敏純潔，加白里夫婦的溫醇坦率，潑霜反女士和摩照律師的險詐勢利，無不栩栩如生。最後寫龐乃德的深情，不避險阻艱難，把琴妮從潑霜反和摩照裏救拔起來，最後把他所有心愛的書籍賣了作琴妮的儲育，莎士比亞所咏的

> Love's not Time's fool, though rosy lips and

cheeks

　　Within his bending sick e's compass come;

　　Love a'ters not with his brief hours and weeks,

　　But bears it out ev'n to the edge of doom.

可以移之於龐乃德了。　當祂賣書充飢時　那本珍奇的稿本，又出現於讀者眼前，但他終於不能割愛，把他另藏過一邊，這是龐乃德所犯的罪，卽是此書得名的由來。

　　讀此書的時候，處處看見心靈的純潔，情緒的卷舒，

　　Chez eux, tout est vieux, tout, exepté le coeur

使我們對於這世界厭惡恐怖的心，減了不少，相信柔情潔行並未絕滅於世。此書給我們的安慰，正如沙漠中的水草，在險惡恐怖的環境之中，予我們不少的生氣。如果我們相信Joseph Joubert所說的話，『小說苟非比實在更為美麗，無存在之餘地，……因為美麗是文中目的之一，如果失去了他，那所見的祇有可怖的實在而已。』則法郎士此書的價值，可以無所用其疑問了。

　　但是法郎士的著作最能吸引讀者的地方，却在法郎

士自己；龐乃德是法郎士自身的寫照。從前十六世紀中間
Montaigne 在他的論文集序裏說：『 此書的骨幹就是我
自己，』——Myself am the groundworke of this booke.
——法郎士自己也說：『一切小說都是作者的自傳。』讀此
類作家的書籍，作者的聲容笑貌，如在目前，雖時地相隔，
實無異晤對。法郎士是極端反對客觀的藝術的，完全借着
小說表現自己的觀念，他如果生於十六七世紀，或者也如
Montaigne一樣寫些雜論了。法郎士每部小說差不多多
有爲自己寫照的人物，從龐乃德到勃羅多 Erotteaux ——
『"Les Dieux ont soif"』裏的人物——可以看見法郎士
的態度的變遷的跡象。

　　所惜者法郎士不能保持他龐乃德的態度，正如都德
不能保持在『" Lettes de Mon Monlin"』裏的態度；後來
的著作雖然何等偉大，在我們讀者總覺失去了兩個可愛
的作家。法郎士是一個最富理智的印象主義者，此後的作
品，除了 "Le Livre de Mon Ami" "Pierre Noziére"
幾等自敍傳的書之外，往往充滿着僻奧的哲理和刻毒的

譏嘲，少年作品裏那種風趣和同情漸漸的消失了。將來最受人忻賞的或者還在「觀乃德之犯罪」和其餘幾本自傳的書呢。

最後我們還要略說一說法郎士的散文筆（Style）。法國的散文自從十六七世紀以來，早已冠冕全歐。像 Montaigne, Bossuet, Fénelon, Voltaire 的散文，無論何人多要爲之俯首的。兩三百年來文學上的派別紛起，而注意外形的態度，曾無異致；散文的外形雖然各各不同，而簡樸清晰自然的標準，始終不曾廢棄，所以在 Chateaubriand Hugo 等藻繪紛披感情噴薄的文字之後，依然還有 Renan, Mérimée, Maupassant 等清眞簡質的文字，直接 Fénelon, Voltaire. 但是法國人注意外形的結果，就有 Gautier, Flaubert 一羣人費其畢生精力於切磋字句上頭，雖然像 Flaubert 那種簡質清剛，光韻兼勝的文章，猶如希臘的雕像無絲毫瑕累可尋，然其流弊所至，便不免以雕琢損自然。法郎士的散文一方沒有 Chateaubriand, Hugo 那種短處，一方也沒 Gautier, Flaubert 那種雕琢之氣，他所

佩服的是 Renan，但比 Renan 更多風趣，所以又不至如 Mérimée 之失於枯燥。所以法郎士的散文盡有 Classical Prose 的長處，爲現代散文家之第一人是無疑的。單就文字而論已可使法郎士立於永遠不朽的地位了，在『龐乃德之犯罪』裏法郎士的散文已到了純熟完美的地步。

匯合各方面看來，在現在的中國文壇上種種主義問題甚囂塵上的時候，一般人正拼命吃哈希希打嗎啡針，法郎士的作品的流傳，或尚有待，但是一輩最流行的文學家，使人厭倦之後，法郎士的書一定要漸漸受人欣賞，他在世界文學上的地位，一定日見鞏固。